D1622423

LE BON PLAISIR

Née à Genève (Suisse) en 1916, Françoise Giroud a été script-girl (1932), assistante-metteur en scène (1937). Elle a écrit des chansons, des scénarios, des dialogues (Antoine et Antoinette; L'Amour, madame; La Belle que voilà) *avant de se consacrer au journalisme.*

Elle a dirigé pendant sept ans la rédaction du magazine Elle *(1945-1953) et fondé en 1953 avec Jean-Jacques Servan-Schreiber l'hebdomadaire* L'Express, *qu'elle a dirigé jusqu'en 1974.*

Françoise Giroud a été secrétaire d'Etat à la Condition féminine de 1974 à 1976, puis secrétaire d'Etat à la Culture dans le premier gouvernement Barre (1976-1977).

Œuvres : Deux recueils de « portraits » — Le Tout-Paris *(1952),* Nouveaux Portraits *(1953); un essai sur la jeunesse (1958)* — La Nouvelle Vague; *expression dont elle est l'auteur;* Si je mens... *(1972); un recueil d'éditoriaux* — Une Poignée d'eau *(1973);* La Comédie du pouvoir *(1977);* Ce que je crois *(1978);* Une Femme honorable *(1981);* Vie de Marie Curie. *Le roman* Le Bon Plaisir *vient d'être porté à l'écran par Francis Girod, adapté et dialogué par Françoise Giroud.*

Il y a des hommes-soleil qu'il ne faut pas aimer, surtout lorsqu'on a vingt ans. En s'approchant trop près, on se brûle; en s'éloignant, on a froid.

Celui dont la petite Claire aux yeux mauves est parvenue à s'arracher pour se soustraire à l'inacceptable, elle croyait, après dix ans, l'avoir oublié bien qu'il soit devenu le personnage le plus important de l'Etat.

Mais voilà qu'à cause d'elle, il se trouve en danger de scandale. Car il y a des lettres qu'il ne faut pas écrire quand on se prépare à un destin national. Et qu'il ne faut pas garder quand on les reçoit d'un homme public. A moins que...

Dérobée par un voleur qui joue avec le feu, recherchée par un ministre sentimental, exploitée par un journaliste avisé, cette lettre finira comme elle aurait dû commencer. Mais entre-temps un homme que l'ambition rend implacable et une femme qu'un certain amour rend irréductible auront joué l'un contre l'autre une fameuse partie.

FRANÇOISE GIROUD

Le Bon Plaisir

ROMAN

MAZARINE

Tout est imaginaire dans cette histoire. Les personnages, que ne saurait ouvrir aucune clef, et la situation qui ne recouvre aucune réalité connue de l'auteur...
Donc : toute ressemblance, etc.

« Etre roi n'est rien. Il faut l'être en
sûreté. »

SHAKESPEARE, *Macbeth*.

ELLE hurla.

Un chien lui répondit, mais la rue nocturne ourlée de voitures assoupies était déserte. L'homme la bouscula et s'enfuit, bientôt englouti par l'ombre. A genoux sur le trottoir humide, elle chercha l'escarpin qu'elle avait perdu en trébuchant. L'onde de peur qui l'avait envahie fut lente à refluer. Enfin elle put marcher. De son genou écorché, un filet de sang coulait, poissant le bas déchiré.

Elle dut frapper longtemps à la porte de la loge, prier qu'on l'excuse, raconter, attendre que le mari de la gardienne, arraché au sommeil, tout poilu dans son maillot de corps, aille demander à sa femme où étaient les clefs de Mlle Claire – on lui a volé son sac encore ces voyous non elles ne sont pas au tableau alors c'est la femme de ménage qui les aura gardées c'est souvent que ça arrive un serrurier essayez voir au commissariat des fois qu'ils connaîtraient quelqu'un.

« Des sacs arrachés, il y en a dix par jour, madame, dit l'un des policiers de garde au commissariat. Que voulez-vous qu'on y fasse? C'est imprudent de se promener seule la nuit.

– Je ne me promenais pas, je rentrais chez moi, je... »

Et si elle s'était promenée, comme il disait? On a le

9

droit ! Ce besoin de se disculper devant un policier...
Celui-là ne paraissait guère menaçant, cependant, avec ses
yeux d'épagneul et son indifférence manifeste à ce qu'elle
racontait.

« Si c'est pour porter plainte... »

Dans l'immédiat, c'était un serrurier qu'elle voulait,
quelqu'un capable d'ouvrir la porte de son appartement.

« A cette heure-ci, ça va vous coûter le maximum... »

Repoussant sa chaise, il se leva pour l'examiner de la
tête aux pieds.

« Bon, dit-il, on va essayer de vous trouver ça...

– Votre bouteille, dit-elle. Vous l'avez renversée. »

Il jura, se baissa. La bière coulait sur le plancher.

Maintenant, assise sur l'escalier, elle attendait le dépanneur à toute heure.

Parfois, derrière la porte narquoise le chat miaulait.
Montant du quatrième étage, le son d'un quatuor de
Brahms – ou bien était-ce un quintette, mais y a-t-il des
quintettes de Brahms... – fut soudain coupé, laissant la
phrase musicale suspendue sur une note sensible. Les sauvages.

Longtemps, il n'y eut plus que les gouttes de pluie frappant la gouttière pour rompre le silence de la nuit enroulant le vieil immeuble dont elle occupait ce que les agences
immobilières appellent 70 m²-caractère original-soleil-
p. de taille.

Enfin la minuterie se déclencha.

Tandis que l'ascenseur s'élevait, elle remit ses chaussures, tira sur sa jupe, serra la ceinture de son ciré.

Le dépanneur trouva que sa cliente avait de jolies jambes et lui fit signer, néanmoins, une facture de neuf cents
francs.

Offensé d'avoir passé la moitié de la nuit seul, le chat
lui échappa lorsqu'elle voulut le saisir.

« Ah ! dit-elle, ne m'abandonne pas, Beau-Chat, ce
n'est pas le moment. »

Mais Beau-Chat resta intransigeant.

Tout en commençant à se déshabiller, elle alluma jusque dans la cuisine pour dissiper l'angoisse qui continuait de l'étreindre, dégrafa son soutien-gorge en écoutant les messages enregistrés par le répondeur téléphonique, chercha un stylo pour noter un numéro. Où était-il, ce stylo. Dans son sac, bien sûr, elle l'avait oublié en récapitulant ce qu'on lui avait dérobé. Sait-on jamais tout ce que contient un sac... Même les cinq mille francs pliés dans une enveloppe, destinés à un fournisseur allergique aux chèques comme ils sont maintenant, elle n'y avait pas pensé immédiatement. Et la gourmette en or dont elle négligeait, depuis un mois, de faire réparer le fermoir ! Dommage...

Pendant que coulait l'eau d'un bain, elle tordit la masse glissante de ses cheveux cendrés et y planta deux épingles pour les tenir haut relevés puis, dans le miroir embué, observa sans indulgence le cerne qui creusait ses yeux mauves.

Il était temps d'en finir avec cette soirée. Demain, prévenir la banque de la disparition du chéquier et de la carte de crédit, faire changer la serrure, quoi encore dans l'ordre des corvées ?

Elle pansait son genou écorché lorsque, soudain, elle se souvint du portefeuille rouge. La bouteille de mercurochrome lui échappa des mains et s'écrasa sur le dallage blanc et noir.

*

Ils chuchotaient, couchés dans le lit étroit séparé de la chambre voisine par une cloison si mince qu'ils entendaient le souffle d'un ronfleur.

« Je ne veux pas que tu voles pour moi, dit Elisabeth, je ne veux pas. Un jour, ils t'attraperont... »

Le garçon rit, en plissant ses yeux noirs, rejeta la couverture et inspecta le corps nu de la jeune fille.

« Tu as maigri, dit-il gravement. Je ne veux pas que tu maigrisses. Je veux que tes seins restent lourds et gonflés et durs et tendres. Il faut que je te nourrisse convenablement. »

Il s'allongea sur Elisabeth, posa la tête sur sa poitrine, saisit d'une main la longue chevelure et ferma les yeux.

« Un jour, ils t'attraperont, répéta la jeune fille. Tu iras en prison, et moi je mourrai de honte. »

Il dit que le mois prochain il aurait du travail, une traduction, il dit qu'il la détestait, qu'elle était une petite-bourgeoise débile, il dit qu'un jour ils sortiraient de cette merde où ils se trouvaient, qu'ils auraient une île en Grèce où il lui ferait sept enfants aux yeux verts et aux cheveux de chlorophylle de sorte qu'ils se nourriraient d'air et de soleil et qu'ils n'auraient jamais besoin de travailler ni de voler pour pouvoir manger à leur faim, il dit beaucoup de bêtises et s'endormit en l'écrasant de tout son poids.

Il avait marché longtemps, fouillant à l'aveugle le sac dissimulé sous son blouson pour tenter d'en extraire l'argent. La première fois, l'opération avait été assez rapide pour qu'il balance le reste dans une poubelle avant d'arriver chez lui. Mais ce soir une glissière rétive s'était bloquée. C'est seulement à la lumière de sa chambre qu'il avait pu forcer le taquet coincé par l'angle d'une enveloppe qui livra, en se déchirant, une liasse de billets.

Pierre les avait jetés en l'air comme des confettis, en poussant des grognements de joie. Elisabeth les avait ramassés, réunis, pliés, remis dans l'enveloppe sans un mot. Pierre avait dit que c'était pour elle, mais elle n'en voulait pas, c'était de l'argent sale, elle en avait assez, assez, alors il avait craqué une allumette et approché un billet de la flamme. Elle s'était jetée sur lui, le frappant de ses deux poings, criant qu'il était fou, il l'avait immobilisée.

Maintenant, elle caressait la tête brune dont le poids l'empêchait de respirer librement. Le sommeil avait détendu la main de Pierre, la jeune fille réussit à dégager d'abord sa chevelure, puis une jambe, la seconde enfin, et à glisser hors du lit. Pierre se retourna sans s'éveiller. Le ciel commençait à s'éclaircir.

Accroupie sur le tapis éreinté, elle regarda longuement le visage apaisé rendu à une sorte d'innocence. Il était beau ce garçon avec lequel il lui plaisait d'être vue lorsqu'ils marchaient, se tenant par la main, leurs hanches étroites gainées de jean, ses seins à elle aigus sous le tee-shirt, parfois les passants se retournaient. Beau mais fou. Il l'aurait brûlé ce billet de cinq cents francs. Il était capable de tout.

Elisabeth pensait à son père, tassé, le soir, derrière sa caisse, comptant ses pièces, lui en donnant une pour sa tirelire parce qu'il faut apprendre à épargner, Lison.

Elle saisit le sac, le retourna pour en vider le contenu qui se répandit par terre, s'étonna de voir un peigne propre – ils étaient toujours douteux – s'en servit pour lisser ses cheveux, ouvrit et ferma le poudrier, négligea les papiers, joua avec la gourmette, huma le mouchoir parfumé et eut envie de le garder, mais Pierre avait dit jamais, c'est comme ça qu'on se fait piquer; seul l'argent est anonyme. Elle remit le tout en vrac dans la poche de cuir sans la fermer et, la balançant au bout de sa courroie, la projeta par la fenêtre.

Puis elle resta debout, nue et triste, attendant que passe le camion des éboueurs et que les mâchoires de métal avalent ce qu'ils lui jetaient dans la gueule, de leurs mains gantées.

*

Ce matin-là, exceptionnellement, le président de la République fut en retard...

Au lieu d'entrer à 10 heures très précises dans la salle du Conseil où les ministres l'attendaient, debout derrière leur chaise, il apparut à 10 heures 7, appuyé sur sa canne, et pendant toute la durée du Conseil, se montra acerbe lorsqu'il prit la parole. Détenant, dans cette enceinte, le privilège de l'ironie, il en usa plus que de coutume, n'épargnant même pas ses lieutenants préférés. Il refusa à l'un d'eux la nomination d'un directeur, acquise cependant, disant qu'ayant apprécié l'incompétence de cet agent de l'Etat dans une autre fonction, il ne jugeait pas urgent de la récompenser, nonobstant la règle établie par le gouvernement.

Un « Monsieur le ministre de la Justice, nous vous serons reconnaissant d'avoir la concision de Tacite, si malaisé que cela vous soit » laissa l'intéressé flageolant.

Assis en face du Président, le Premier Ministre observait le regard distrait, les mains carrées maltraitant les lunettes. A 9 heures 30, il avait trouvé le Président calme et bien disposé, souriant même avant que sa secrétaire n'entre à 10 heures moins 2 pour lui mettre un message sous les yeux et qu'il dise : « Allez... Je vous rejoins... »

Circulant de main en main autour de la longue table, un billet lui parvint qui acheva de l'intriguer : « Je ne vous retiendrai pas à déjeuner. » Tandis qu'un autre billet atteignant le ministre de l'Intérieur demandait : « Où serez-vous à déjeuner ? J'aurai peut-être besoin de vous. »

Le Premier Ministre suivit du regard le trajet aller et retour du second billet. A 13 heures, le Président se leva et quitta immédiatement la salle du Conseil, de ce pas un peu lent que lui avaient laissé les séquelles d'une poliomyélite. En public, il ne se servait jamais de la canne qui soulageait une jambe fragile, mais le public savait que, dans sa jeunesse, il avait triomphé de la maladie et n'était pas insensible à cette marque de courage.

Le Premier Ministre et le ministre de l'Intérieur s'écartèrent quelques instants, mais aucun des deux ne put éclairer l'autre sur ce qui avait modifié, entre 10 heures moins 2 et 10 heures 7, l'humeur et l'horaire du Président.

Tandis que, dans la cour du Palais, ils répondaient aux questions des journalistes sur les nouvelles mesures destinées à assurer la sécurité des Français, une Renault dépourvue de tout signe distinctif franchit la grille du Coq et fila vers la rive gauche, suivie par la voiture des hommes de la sécurité présidentielle.

*

Claire lui ouvrit la porte et il s'étonna de la trouver belle. Lasse, les yeux meurtris mais... Belle n'est pas, à vrai dire, le mot qui lui vint à l'esprit. Quel âge pouvait-elle avoir maintenant ? Trente-cinq ? Trente-sept ?

Il voulut l'attirer contre lui mais elle lui glissa des mains.

La lumière crue de la grande pièce biscornue où il la suivit le surprit. Il avait ici des souvenirs d'ombre. Il s'assit, dos à la fenêtre, observa la silhouette noire qui se détachait sur le mur blanc, le pantalon qu'il lui interdisait autrefois de porter, et refusa le whisky qu'elle lui proposait.

« C'est vrai, dit-elle. Tu bois français, maintenant. »

Il négligea la remarque et dit qu'elle avait choisi une heure inopportune pour téléphoner et que la prochaine fois...

« Il n'y aura pas de prochaine fois, dit Claire. Je t'ai appelé parce que tu es en danger et que c'est ma faute. J'ai essayé de te joindre dans la nuit mais le standardiste a refusé de te déranger. Il voulait me passer la personne de garde. J'ai pris un somnifère qui m'a assommée. Je me suis réveillée à dix heures. Je... »

Le verre qu'elle tenait en main tomba et roula sur la moquette bariolée.

Il l'engagea à se calmer et à lui faire un récit circonstancié de l'incident qui l'agitait.

Ne jamais penser au passé, ni à celui où s'inscrivait Claire ni à un autre, abolir en soi tout ce qui alourdit la démarche, avancer toujours neuf en terrain neuf le regard fixé sur l'avenir, combien de fois avait-il répété à ses collaborateurs que c'était là l'hygiène nécessaire à l'homme d'action ? « Tu n'es pas normal », avait dit Claire, un jour qu'elle l'interrogeait sur le jeune homme qu'il avait été et qu'il avait répondu : « Qu'est-ce que ça peut faire ? Ça ne m'intéresse pas. Je sais qui je veux être. Le reste... » Cette mémoire dont il évacuait tout ce qui, dans son passé lointain ou immédiat, eût dérangé son présent n'était jamais en défaut cependant lorsqu'il la sollicitait.

Mais depuis l'appel inopiné de Claire, il cherchait en vain quel papier elle pouvait détenir de nature à lui nuire s'il tombait entre des mains hostiles. Il savait la jeune femme encline à la litote plus qu'à l'inflation verbale. En danger ? Le danger était partout. Le pouvoir est un complot permanent qu'un complot permanent vise à détruire. C'est l'articulation avec Claire qui lui échappait. Elle avait parlé d'une lettre. Quelle lettre ? De qui ?

Une lettre de lui, envoyée du Japon.

Des images ressuscitèrent. Les toits de tuiles bleues, les cages où rebondissaient les balles de golf, la foule masquée de tampons blancs jaillissant du métro. Le Président a une mémoire photographique, disaient ses collaborateurs, photographique. Mais la photo restait voilée. Il ferma les yeux pour se mieux concentrer. Tokyo. La chambre de l'hôtel Impérial, la nuit où la standardiste le tirait tous les quarts d'heure d'un demi-sommeil pour répéter en anglais : « La ligne est occupée, monsieur. »

Et, au matin, tandis qu'il écrivait, le concierge sonnant à plusieurs reprises pour répéter qu'il était attendu dans le hall.

« Je vois, dit-il. Ton émotion me paraît excessive. »

Claire le regarda, incrédule. Cette force qui le rendait

16

capable d'expulser ce qu'il avait besoin d'oublier la subjuguait autrefois.

Elle proposa de reconstituer pour lui ce qu'il avait écrit. Ainsi jugerait-il sur pièce et tant mieux si elle avait mal apprécié.

« Si tu peux, dit-il. Bien. »

Elle pouvait. De cette lettre, elle connaissait chaque mot, chaque ligne, elle aurait pu situer l'endroit exact où la double pliure avait creusé le papier depuis qu'elle l'avait glissée dans le portefeuille rouge.

Beau-Chat protesta lorsqu'elle l'écarta de la table léchée par le soleil pour y poser une machine à écrire, et vint humer les chaussures du visiteur tandis qu'elle commençait à taper avec deux doigts, puis, mystérieusement averti que cet homme-là n'aimait pas les chats, il s'éloigna, siamois dédaigneux et superbe dans sa robe grège aux manchettes sombres.

« Voilà, dit Claire. Le reste est sans importance. »

Elle ramassa la canne que Beau-Chat avait fait glisser du fauteuil, observa celui qu'elle appelait Castor tandis qu'il lisait, mais il ne bougea ni ne cilla, glissa le papier dans sa poche, et replia posément ses lunettes.

« Tu as montré cette lettre à quelqu'un ?

– Non, dit Claire. Jamais. Je l'ai gardée pour... pour lui. Tu comprends ? »

Il eut un regard froid.

« J'aurais compris que tu la gardes dans un coffre. Et en Suisse, de préférence. »

Il se leva.

« Bien. Inutile d'épiloguer. »

« *What is done is done and can't be undone* », disait-il autrefois, empruntant à Shakespeare, pour couper court aux regrets et vaticinations. Seul compte le présent qu'il faut maîtriser.

Elle demanda ce qu'elle devait faire.

« Rien. S'il y a lieu, ma secrétaire t'appellera. »

Elle le suivit jusqu'à la porte palière, leva la tête pour lui tendre son visage. Cette fois, c'est lui qui se déroba.

De sa voiture, il appela le ministre de l'Intérieur qui traitait des journalistes à déjeuner, l'invitant à abréger et à se rendre libre jusqu'à quinze heures.

Quand le Ministre reprit place à table, le maître d'hôtel présentait aux convives un saint-honoré.

« Vous avez la meilleure table du gouvernement, Monsieur le Ministre, dit un gros homme à lunettes.

– Et Herbert s'y connaît », assura son voisin.

Les autres approuvèrent, se servant largement.

Abréger, abréger... Il ne faut pas bousculer ces gens-là.

*

L'amitié entre le Président et le Ministre était ancienne, couturée de toutes les cicatrices qui, au fil des tribulations de la vie politique, l'avaient malmenée sans jamais l'entamer jusqu'à la rompre. Si amer que l'aient parfois laissé de longues indifférences, le second n'avait jamais su s'éloigner longtemps du premier, accourant lorsqu'il était appelé, déterminé à lui dire, cette fois, son fait et à refuser de l'accompagner dans quelque nouvelle entreprise; et puis le sortilège opérait, et il se retrouvait partenaire, complice, valet d'armes, satellite du Soleil.

La résistance qu'il essayait périodiquement d'opposer lorsque l'autre avait dépassé la mesure, un accident l'avait exténuée. Au milieu d'une campagne électorale difficile, sa voiture, heurtée par un camion, s'était retournée. Plus tard, il sut que son compagnon avait fait six cents kilomètres dans la nuit pour accourir, abandonnant le terrain à un adversaire dangereux au moment où le sort pouvait basculer.

Quarante-huit heures dans la salle d'attente de l'hôpital jusqu'à ce que le chirurgien dise : « Il est hors de danger », deux jours pour reprendre en main la petite équipe électorale débandée, composer une affiche, rédiger un tract, insinuer qu'il fallait peut-être appeler attentat cet accident...

Le soir du deuxième tour, victoire acquise pour les deux amis, il téléphona au blessé :

« Espèce de con, tu m'as fait perdre mille voix. Tu as l'intention de traîner longtemps sur ta paillasse ? »

Le Ministre vint à pied de la place Beauvau et fut introduit immédiatement. Le Président achevait une collation légère que le visiteur regarda avec mélancolie. Ces déjeuners trop copieux le tuaient.

Le tutoiement qui l'accueillit l'avertit que l'affaire dont il serait entretenu était d'ordre personnel. La vie privée du Président n'était pas des plus simples, et il en connaissait tout ce qu'un ministre de l'Intérieur se doit de connaître par les moyens qui lui sont propres. Aussi fut-il surpris d'entendre le nom de Claire et d'apprendre qu'il convenait de faire immédiatement mettre sa ligne à l'écoute. Sous quel motif, puisque la règle voulait qu'on en fournît un au ministre responsable des Communications, à moins que l'instruction ne vienne du Premier Ministre ?

« N'importe, dit le Président. C'est un ordre.

– Soit. Tu la revois donc, Claire... » demanda le Ministre, vexé d'avoir eu à le découvrir ici.

Un regard lui signifia qu'il franchissait la frontière où tous les points de passage étaient gardés, même s'agissant de lui.

« Je vois qui je veux, dit le Président. La question n'est pas là. J'ai besoin de savoir tout ce qu'elle a fait ces dernières années, qui elle voit, comment elle vit, ses amis, ses dépenses, tout.

– C'est faisable, dit le Ministre. Mais si tu me disais pourquoi... »

En partant, il emportait un récit des événements de la nuit assorti des détails que, sur ses instructions, la secrétaire du Président avait demandés à Claire. La couleur, la forme, la marque du sac volé s'il en avait une, la description minutieuse de son contenu et du portefeuille rouge, le nom des personnes qui pouvaient avoir su qu'elle portait, ce soir-là, une somme importante.

Mais quant à la lettre elle-même...

« Quelques lignes de ma main, avait dit le Président, dont il serait préoccupant qu'elles se trouvent entre les mains de nos adversaires. »

*

Les jours suivants furent rudes pour les petits voleurs, et fructueux pour la police. Un sac ramassé dans un cinéma livra un carnet d'adresses qui permit de confondre l'assassin de deux femmes, un autre de remonter une filière de trafiquants.

Une cinquantaine de Parisiennes portant en bandoulière un sac répondant à la description que Claire avait donnée furent interpellées et priées de montrer leurs papiers. L'une d'elles le prit de haut et envoya une lettre à un journal du soir. Une autre essaya de fuir, elle transportait un 7.65. On retrouva un bijou volé la veille chez un grand joaillier par l'épouse d'un banquier, qui menaça de se suicider.

Le vendredi soir, Claire achevait de composer une valise lorsque le ministre de l'Intérieur lui téléphona pour la prier de lui accorder un moment.

« Je sais, dit-il, que vous partez demain matin pour New York, mais je peux passer tout de suite si cela vous convient. »

Elle acquiesça sans songer à s'étonner qu'il fût informé de son voyage, enfila une robe, renoua son chignon, et rectifia l'ordonnance de la grande pièce qu'elle avait aménagée pour y concentrer, dans un désordre organisé et confortable, tout ce qui faisait le quotidien de ses jours, isolant seulement sa table à dessin et les rayons où s'entassaient ses documents de travail. Longtemps ses murs avaient été uniquement ornés d'affiches jusqu'à ce que le succès de ses tissus et impressions lui permît d'acheter une bonne toile puis une autre, qui avaient laissé sa mère déconcertée.

Elle garnit le seau à glaçons, épreuve dont le Ministre – qu'elle appelait Pollux – se chargeait autrefois, quand il restait à dîner après avoir répété dix fois il faut que je m'en aille Jeanne m'attend, et Claire improvisait pour les attardés des repas baroques servis à la cuisine.

Jeanne avait fini par divorcer, une fois ses enfants élevés, disant qu'on peut disputer un homme à une autre femme mais pas à la politique et qu'elle souhaitait bien du plaisir à celle qui lui succéderait. Mais Pollux ne l'avait pas remplacée, découvrant avec les années qu'une bonne secrétaire et une servante devenue affable depuis qu'elle régentait seule la maison réduisaient l'utilité d'une épouse à des fonctions que remplissaient, mieux à sa convenance, des dames chez lesquelles il pouvait arriver à toute heure ou ne pas arriver du tout, sans se faire houspiller quand Castor l'avait retenu.

Lorsque Claire s'ennuyait, assise au fond de l'une de ces salles lugubres où se tiennent, dans le provinces, les réunions publiques, elle sortait un carnet et dessinait Pollux, avec Castor, arrivant sur des ailes de moineaux pour aider les marins en détresse, ou perchés dans un poirier, ou tuant Lyncée à qui elle donnait les traits de leur adversaire du moment.

« Pourquoi des moineaux ? disait Castor qui se fût plus volontiers imaginé chevauchant un aigle. Et un poirier ? »

Le mythe de Castor et Pollux, quand elle le lui rappela, lui plut à moitié parce que seul Pollux est fils de Zeus, tandis que Castor... Mais quelques minutes de divertissement étaient plus qu'il n'en supportait, et avant qu'elle n'en ait terminé avec les Dioscures ou toute autre légende qu'elle illustrait de son visage, il disparaissait pour téléphoner.

Pollux... Etait-il devenu pompeux, lui aussi ? En l'attendant, elle s'amusa à les dessiner tous les deux en paons admirant mutuellement leur roue, mais la ressemblance qu'elle savait si bien saisir lui échappait maintenant.

Le timbre de la porte retentit, elle fit une boulette du papier et la jeta à Beau-Chat.

Il avait changé, Pollux, en dix ans, mais autrement que Castor. Lui, c'était en somme le même avec le poil gris. Long, maigre, les mains effilées volontiers nouées derrière le dos, il avait gardé son allure d'échassier, se posant plus qu'il ne s'asseyait, se dépliant quand il se levait, inclinant la tête vers ses interlocuteurs toujours un peu moins grands que lui.

Claire crut même reconnaître le costume gris et la cravate noire dont elle l'avait toujours vu revêtu, curieusement insensibles au passage du temps. Castor, en revanche, avait acquis une sorte de majesté lustrée et de surcroît les services d'un bon tailleur, au lieu qu'autrefois une cuvette se formait toujours entre ses épaules.

Instantanément, elle se retrouva devant Pollux « la petite Claire », celle qui avait passé tant d'années de sa jeunesse à attendre. Dans un hôtel de province, dans une tribune à l'Assemblée, dans l'arrière-salle d'un restaurant, dans une voiture. Quelqu'un arrivait ou téléphonait pour prévenir que Castor était désolé d'être en retard mais qu'il viendrait. Elle remerciait et reprenait une lecture interrompue.

Souvent, Pollux avait joué les messagers affectueux, reconnaissant à la jeune fille de sa patience silencieuse. Humeur égale, présence légère... Il en avait connu quelques autres du temps que Castor consommait puis jetait... Ensuite, il fallait consoler.

Que « la petite Claire » aux yeux mauves accepte sans jamais récriminer l'existence que Castor lui faisait mener le troublait, lorsqu'il avait loisir d'y penser.

Elle parlait peu, et rarement pour ne rien dire, connaissait toutes sortes de choses; l'histoire des étoiles, le nom des plantes, la façon de parler aux enfants... Un jour que la secrétaire de Castor ne parvenait pas à déchiffrer une phrase de Thucydide dont il voulait orner un discours à des universitaires, Claire qui attendait, naturellement, assise dans le bureau, l'avait énoncée, ajoutant qu'elle était dans *La Guerre du Péloponnèse*. Mais elle confondait Jules Ferry et Jules Guesde, disant que, de toute façon, c'étaient des noms de rue.

Maintenant, son nom à elle s'étalait dans les magasins du monde entier, ce dont Pollux crut devoir la féliciter. Elle avait fait du chemin, la petite Claire, qui l'eût prédit ?

Cher Pollux, sur quel chemin l'avait-il donc imaginée ? Ariane mourant au bord où elle fut laissée ?

Il reconnut en souriant qu'il l'avait crue... Il ne trouvait pas le mot juste.

« Paumée ? suggéra Claire. Eh bien, vous voyez, j'avais de la ressource. »

Pollux feignit de s'intéresser à Beau-Chat qui se laissa caresser derrière les oreilles, puis il passa aux choses sérieuses : le bracelet de Claire avait été déposé au commissariat du VIe arrondissement par une vieille dame qui déclarait l'avoir ramassé dans la rue. Près de l'endroit indiqué, on avait retrouvé, souillés par les pieds des passants, les papiers de Claire.

Parmi les commerçants interrogés, l'un disait avoir écrasé un stylo en relevant le rideau de fer de sa boutique. Mais personne n'avait vu un portefeuille rouge. Celui qui avait disparu portait-il une mention, un signe permettant d'identifier sa propriétaire ? Non. Et son contenu ? Pas davantage. Du papier à en-tête d'un hôtel de Tokyo, mais sauf à connaître l'écriture du scripteur...

Serait donc insérée, dès dimanche et pendant toute la semaine, dans quelques journaux, une annonce promettant forte récompense à qui rapporterait portefeuille maroquin rouge usé perdu sans valeur, mais souvenir. On verrait bien. Il ne fallait rien négliger.

Claire n'avait rien d'autre à lui dire ? Aucun incident,

aucun détail ne lui était revenu en mémoire ? Non, rien qu'elle n'eût déjà dit.

Le téléphone sonna. C'était la mère de Claire l'adjurant de porter au cou la médaille qui protège les voyageurs intrépides, puisque, encore une fois, elle allait prendre l'avion. Elle promit. Où diable était-elle cette médaille ? Dans son sac, bien sûr, elle l'avait oubliée en faisant l'inventaire des objets disparus. On ne pense jamais à tout.

« Ce visage vous dit quelque chose ? demanda Pollux, en lui tendant un magazine qu'il avait sorti de sa serviette. Là, à droite, l'homme que l'on voit de profil... »

Oui. Elle peut même y mettre un nom. Il dirige ou préside une caisse de quelque chose.

Un ami ? Non. Une relation, alors ? Plutôt. Leur dernière rencontre ? A Beaubourg. Elle s'en souvient parce qu'elle s'était demandée ce qu'il faisait là, ce n'était pas son genre la peinture.

Que sait-elle de lui ? Il a une épouse ingrate, des oreilles pointues, il est drôle lorsqu'il imite le Premier Ministre parlant à la télévision.

Il fait ce numéro à Beaubourg ? Non, mais après dîner, quand on l'en prie.

Elle dîne donc avec lui ? Non, elle l'a vu deux ou trois fois chez des amis qui, par ailleurs, sont les siens.

Des amis qui sont notoirement hostiles au gouvernement ? C'est bien d'eux qu'il s'agit ? Hostiles comme tout le monde, oui, ni plus ni moins.

Et le dernier dîner se situait ? Elle ne sait plus, mais elle peut retrouver la date sur son agenda, ah non ! l'agenda était aussi dans le sac.

C'était en janvier, peut-être ? Peut-être. Rien d'autre à dire à ce sujet ? Non. Rien.

Pollux tira de sa serviette trois feuillets dactylographiés recto verso et les tendit à Claire.

« Qu'est-ce que c'est ?

– C'est vous », dit Pollux.

Pendant qu'elle lisait, il se déplia et s'en fut, sur ses grandes jambes, examiner le Poliakoff bleu, noir et jaune, qui chantait sur le mur blanc. Le temps était si loin où il allait parfois faire les galeries, le samedi après-midi, dans ce quadrilatère de Paris où l'on entrait dans chacune des boutiques pressées les unes contre les autres, comme chez Ali Baba. En le traversant pour venir chez Claire, sans cesse englué dans les encombrements, il avait vu, consterné, que la fringue avait mité ce tissu précieux. Tout s'effilochait, il fallait s'interdire d'y penser.

« On écrit mal chez vous, dit Claire, et on espionne médiocrement. »

Elle se leva.

« Maintenant, vous voudrez bien m'excuser. On m'attend et je vais être en retard. »

Mais Pollux restait immobile.

« Donc, dit-il, ce monsieur aux oreilles pointues – ce que je n'avais pas remarqué – a été votre amant. Et vous me l'avez caché. »

Elle répondit que tout ministre qu'il était devenu, il commençait à l'ennuyer énormément et qu'à son grand regret elle ne disposait pas d'un vocabulaire d'injures assez étendu pour exprimer toute sa pensée.

Son amant! Comment disaient-ils cela dans le rapport qu'il lui avait fait lire? C'était plus piquant.

« Le mot importe peu, dit Pollux. Disons qu'il a eu avec vous des relations étroites, et que plus tard vous les avez renouées. »

Des années sans se revoir, une rencontre non préméditée, qu'est-ce que tu deviens et ta mère il paraît que tu es marié, moi rien je dessine, on s'appelle... Beaucoup plus tard, deux ou trois dîners chez des tiers... Où étaient les relations étroites?

« Vous le recevez ici.

– Non. Jamais. »

Pollux consultait le rapport et lut à haute voix :

« Le 8 mars le susdit s'est rendu au domicile de l'intéressée où il est resté de 18 heures à 18 heures 35. Il y est retourné les 11 et 15, toujours à la même heure...

– Le susdit doit avoir mal aux dents, dit Claire. Il y a un dentiste dans la maison. Ils sont bizarres vos sbires. Ils savent tout et ils ne savent rien. »

Mais le verrait-elle matin et soir, ce susdit, quel intérêt cela pouvait-il bien présenter ?

Pollux retourna se placer devant le Poliakoff. Il n'aimait pas ce qu'il était obligé de faire. Il fallait être Castor pour élaborer un pareil échafaudage. Mais quand il s'était récrié, Castor avait dit, méprisant : « Tu ne connais pas les femmes. Moi, si, figure-toi. Et tu sous-estimes toujours l'adversaire : *ils* sont capables de tout. »

Il revint s'asseoir en face de Claire, but largement, et se remit à l'ouvrage.

Cet homme, Claire l'a connu étudiant, elle doit donc savoir qu'il préparait un concours. Sait-elle que, soupçonné de tricherie à l'écrit, il a comparu devant un jury d'honneur composé de trois de ses camarades ? Oui. Elle a entendu parler de cette histoire sans conséquence apparemment puisqu'il est aujourd'hui directeur de quelque chose.

L'affaire s'était terminée par un verdict d'innocence, en effet, mais après que l'un des trois jurés eut exigé du suspect qu'il signât l'aveu de sa fraude. De sorte que le coupable était devenu un obligé à vie.

« Eh bien, dit Claire, ils sont jolis vos hauts fonctionnaires ! Il y a beaucoup de choses de ce genre dans vos dossiers ?

– Personne n'est parfait, dit Pollux. Vous savez qui était le camarade en question ? »

Non. Elle ne savait pas. Pollux le nomma.

Le même nom illustrait, en gros caractères jaunes, la couverture du magazine où se trouvait la photo que Pollux lui avait montrée, suivi d'un titre : « La nouvelle stratégie. »

On le voyait parlant devant une gerbe de micros. Dans les pages intérieures, il apparaissait entouré de supporters, et, à sa gauche, de profil, l'homme aux oreilles pointues souriait.

« Et alors, dit Claire, il vole les sacs, ce monsieur, quand il n'est pas chez le dentiste ?

– Il a fait voler le vôtre, dit Pollux, et vous savez pourquoi ? Pour que vous ne soyez pas soupçonnée.

– Soupçonnée ? De quoi ?

– De ce que vous avez fait.

– Mais qu'est-ce que j'ai fait ?

– Vous avez confié à cet ancien amant que vous possédiez un document compromettant pour le président de la République et quand il vous l'a demandé, vous avez consenti à le lui donner. Voilà ce que vous avez fait. »

Dans les yeux mauves de Claire, la pupille s'élargit jusqu'à les rendre noirs. Dingues, malades dans leur tête ils étaient devenus, et d'abord Castor, mais chez lui ce n'était pas nouveau cette obsession du complot.

« Mais j'ai prévenu Castor, dit Claire en essayant de maîtriser sa voix. Je l'ai prévenu, pourquoi l'aurais-je fait ? »

C'était le maillon faible de la logique castorienne, Pollux l'avait immédiatement repéré.

« Le Président n'exclut pas le remords, dit-il, et attend la confession. »

Le Président.

Claire eut une nausée. Elle glissa de son fauteuil et posa le front sur le marbre de la table.

Les minutes passaient. Pollux commençait à s'agiter. Il glissa son mouchoir dans la main de Claire mais elle releva un visage livide aux yeux secs et demanda plutôt quelque chose de fort à boire.

« S'il se méfie de moi, dit-elle, c'est qu'il est plus atteint encore que je ne pensais.

– Il se méfie de tout le monde, dit Pollux. Là où il est, d'ailleurs, on ne fait plus confiance à personne. »

27

Et pour tenter de la faire sourire, il ajouta :

« Pourquoi croyez-vous que les chefs d'Etat ont toujours des chiens ? »

Claire se redressa en s'appuyant sur le bras que lui tendait Pollux. L'alcool commençait à lui rendre des couleurs et à muer son angoisse en euphorie.

« La vérité, Pollux, je vais vous la dire... La vérité, c'est qu'il est complètement parano, votre copain Castor. Paranoïaque : vous avez entendu parler ? Qui organise logiquement des thèmes délirants ! »

Il protesta, mollement, frémissant à l'idée de lire un jour : « Exclusif : le Président est paranoïaque. L'avis des spécialistes. »

Castor avait tendance, en effet, à se prendre parfois pour le Crucifié.

« Je lui ai beaucoup pardonné, dit Claire, mais qu'il se méfie de moi... ça, je ne lui pardonnerai pas. »

Pollux objecta qu'ils avaient tous dit ça un jour ou l'autre, et que Claire, qui était bonne...

Bonne ? Le mot la fit rire. Bonne... C'était dans une autre vie.

« Venez, dit-elle. Il faut que je mange quelque chose. On va se faire une omelette. »

Dans la cuisine, tandis qu'elle battait les œufs en croquant une biscotte, Pollux nota le numéro où lui laisser éventuellement un message à New York – elle comptait y passer une semaine – s'il y avait du nouveau concernant le portefeuille rouge.

« Là-bas, vous ne pourrez pas m'espionner, dit Claire. Vous n'avez pas honte, Pollux ? »

Il dit que c'était là une question que l'on ne pose pas à un ministre de l'Intérieur et que s'il l'avait jugé utile, il serait en train de coller un micro-ventouse sous la table de la cuisine.

Elle versa les œufs dans le beurre grésillant, baissa le feu, repoussa les bords déjà saisis vers le centre de la poêle avec une palette de bois. Il reconnaissait les gestes exacts, économes.

« Qu'est-ce que vous allez faire si souvent à New York ? demanda-t-il soudain. Vous y étiez déjà au moment de Noël...

– Allons bon ! dit Claire en faisant glisser l'omelette dans un plat. Voilà que vous recommencez. Vous savez que vous êtes intoxiqué, Pollux ? »

Il s'extasia sur l'omelette, déclarant qu'elle seule savait la faire baveuse à souhait et ils se quittèrent mélancoliques en même temps qu'attendris par ces retrouvailles.

Cependant, avant d'éteindre dans la cuisine, Claire s'accroupit sous la table et l'examina avec soin.

En arrivant le samedi à Kennedy Airport, elle attendit longtemps ses bagages. Enfin, elle franchit la douane et fut saisie, en sortant, par le vent glacé. Le taxi jaune bringuebalant mit plus d'une heure pour atteindre l'hôtel du bas de la ville où elle avait ses habitudes. Le concierge la reconnut et lui remit un message : Mike attendait son appel pour venir la chercher.

Un bagagiste au teint foncé l'accompagna, portant ses valises, et échangea quelques mots en espagnol avec celui qui manœuvrait l'ascenseur. Ils étaient tous étrangers maintenant, à New York, philippins, ou peut-être mexicains.

Ceux d'autrefois lui auraient tout de suite parlé du temps qu'il faisait, et demandé si le froid persistait aussi en Europe. Mais le Philippin s'en foutait.

*

A Paris, un printemps prématuré avait orné de trois feuilles tendres le marronnier du cours Albert-Ier, celui auquel une conduite d'eau chaude passant à proximité donnait des élans précoces.

Le père d'Elisabeth n'avait jamais admis cette explication prosaïque et, dès le mois de mars, il venait le samedi après-midi surveiller *son* marronnier. Il sortait du métro à Champs-Elysées-Clemenceau et remontait à petits pas l'avenue majestueuse jusqu'à la Seine.

Mais, cette année, le cœur lui avait manqué. Cependant, alors qu'il bouclait à une heure la porte de la librairie-papeterie où il vendait aussi la presse, le bleu du ciel lui avait comme écarté les côtes. Ce n'était plus l'allégresse des jours anciens, mais l'andouillette affichée au menu du restaurant voisin en eut elle-même de l'attrait et il décida qu'après déjeuner il irait rendre visite au marronnier.

Quand il aperçut Elisabeth adossée au parapet du fleuve, offrant son visage au soleil, il resta pétrifié. La jeune fille esquissa un sourire.

Il s'approcha comme on s'approche d'un oiseau prêt à s'effaroucher.

Mais elle l'embrassait, disant que, déjà samedi dernier, elle l'avait attendu et qu'elle savait bien qu'aujourd'hui, par ce temps-là, il viendrait.

Lui, la tête vide, cherchait désespérément les mots qui conviennent quand on retrouve une petite fille qui est partie avec l'argent de sa tirelire en vous traitant de pauvre mec.

« Si tu veux, dit Elisabeth, je reviens, mais ne me demande pas pourquoi, ni ce que j'ai fait ni rien. »

Il faillit répondre : « Reviens, ma Lison, reviens ! » mais se souvint que les derniers temps elle ne supportait plus qu'il l'appelât Lison.

C'était après son époque Betsy où elle s'était mise à l'appeler Dad, comme s'il avait une tête à ce qu'on l'appelle Dad. En l'entendant un jour ainsi interpellé, l'un de ses bons clients lui avait fait un discours sur l'américanisation de la jeunesse française qui dépravait notre culture, et il en était resté pantois. Mais Dad avait disparu au bénéfice d'Ernest, son prénom, et une petite fille qui appelle son père par son prénom c'était le monde à l'envers. « La

30

fin de la famille », avait dit une cliente. Et quand la jeune fille avait disparu, « une coureuse comme sa mère ».

« Alors, P'pa, dit Elisabeth, c'est oui ou c'est non ?

– C'est oui, trois fois oui, ma petite fée. Et je te promets...

– Moi aussi, je te promets », dit Elisabeth.

Il prit le balluchon qu'elle portait sur l'épaule, et ils se promenèrent, main dans la main, le long des quais.

Plus tard, elle dit qu'elle avait une course à faire mais qu'il pouvait être tranquille, elle serait là pour dîner et, désormais, c'est elle qui se lèverait à cinq heures le matin pour prendre livraison des journaux et les mettre en place.

Pierre attendit Elisabeth deux heures à la terrasse du Flore où elle devait le rejoindre, puis la chercha dans tous les cafés du quartier. Mais personne n'avait vu la jeune fille.

Il monta chez lui. Une enveloppe était glissée sous la porte, un mot bref d'Elisabeth disant qu'il ne fallait plus l'attendre, jamais, qu'elle avait peur de lui et qu'il trouverait dans l'enveloppe tout l'argent qui restait.

Il descendit, s'en fut acheter une bouteille de vodka au Drugstore, remonta chez lui, vida la bouteille à moitié et s'effondra sur son lit. Quand il s'éveilla, la rumeur qui montait de la rue lui apprit qu'il était tard et la migraine qu'il lui fallait un café.

Le bistrot voisin était vide. Assise derrière le comptoir, la serveuse écoutait la radio, rêveuse. En lui apportant la tasse, elle dit gentiment : « Ça n'a pas l'air d'aller fort aujourd'hui... Quand vous n'êtes pas rasé, comme ça, vous feriez peur si on ne vous connaissait pas. » Elle lui proposa une aspirine qu'elle lui recommanda d'avaler avec de l'eau sucrée à cause de l'estomac, et offrit d'aller chercher des croissants à la boulangerie parce qu'à cette heure elle n'avait plus que des brioches et il préférait les croissants, elle le savait.

« Vous êtes gentille, dit Pierre. Vous êtes le seul être humain que j'aie jamais rencontré. Avec ma mère. »

C'était une femme sans âge aux cheveux sans couleur, mais nette. Il prit sa main, et l'embrassa.

En remontant, il se rasa soigneusement, mit un tee-shirt propre et décida de faire le lit. Un pied fléchit lorsqu'il le tira.

C'est en se baissant pour tenter de remettre ce pied en place qu'il trouva, par terre, le long du mur, un portefeuille rouge.

*

Assis à la table d'angle, sa place favorite, chez Lipp, Herbert attendait Pierre en lisant un hebdomadaire allemand. La pendule indiquait 8 heures 35, donc il était 8 heures 30, comme convenu, lorsqu'il vit le jeune homme jaillir de la porte tournante et stationner un moment au bout de la cohorte des suppliants qui demandaient une table.

Ce cérémonial ne cessait jamais d'enchanter Herbert. Le patron, M. Cazes, barrant le seul point de passage entre la brasserie et le restaurant, carton et crayon en main, c'était le spectacle même du pouvoir en exercice. Devant lui, la Cour. Des hommes que l'on connaissait arrogants, qui piétinaient là, obséquieux, disant que oui, dans une heure et quart, c'était très bien, ils reviendraient, tandis que les habitués, assurés d'être placés, saluaient à droite et à gauche d'autre habitués, affichant à l'égard des suppliants la désinvolture des élus. Herbert aimait ce qui consolidait l'opinion qu'il avait de l'humanité.

Pierre indiqua qu'il était attendu et franchit le seuil sacré. Herbert libéra la banquette de la pile de journaux qui constituait sa ration de drogue, et accueillit le jeune homme cordialement.

« Vous avez bien fait de m'appeler, dit-il. Je ne savais

pas où vous trouver. Où diable habitez-vous maintenant ? J'ai quelque chose pour vous. »

Herbert dirigeait une « lettre confidentielle », huit ou douze feuillets roses diffusés chaque semaine auprès d'un nombre restreint d'abonnés auxquels *La Lettre H* procurait l'onéreux privilège de recevoir sous pli fermé des informations de toute nature intéressant la vie nationale et internationale. S'y ajoutait une remarquable synthèse de la presse étrangère. Copieuse en indiscrétions contrôlées et en prévisions réalisées, *La Lettre H* jouissait d'un crédit supérieur à celui des publications analogues. Herbert disposait, selon toute apparence, d'un réseau d'informateurs anonymes situés aux meilleurs endroits. Il passait pour avoir été lui-même agent de renseignements, réputation qu'il assumait avec une sérénité sarcastique.

Parlant et écrivant le français sans faute des étrangers qui l'ont appris, ne commettant parfois d'erreurs que dans l'emploi de locutions familières ou argotiques, il assurait lui-même la réalisation de *La Lettre H*, avec la collaboration d'un rewriter habile travaillant, d'autre part, depuis sept ans à une thèse sur Hegel et Feuerbach. Une assistante-secrétaire, réfugiée d'on ne savait au juste quel pays, parlant cinq langues, et un coursier monté sur moto composaient le reste de son personnel permanent.

Pierre apprit que le gros homme cherchait un enquêteur capable d'aller fouiller dans un lot d'archives que la veuve d'un nazi notoire négociait. Tâche délicate qui pouvait être longue.

Quelqu'un prit place à la table voisine.

Herbert dit d'une voix forte, en allemand :

« Vous connaissez le cochon qui vient de s'asseoir ? »

Pierre tourna la tête. Son regard croisa celui, indifférent, de son voisin.

« Non.

– Moi non plus, dit Herbert, mais maintenant je sais qu'il ne comprendra pas ce que nous dirons. Les Français parlent quelquefois l'anglais, l'allemand c'est plus rare. Le vôtre est excellent; où l'avez-vous appris ?

— J'ai commencé au lycée, dit Pierre, pour emmerder le mari de ma mère qui me les cassait avec sa Résistance.

— Evidemment, tout le monde n'a pas d'aussi bonnes raisons.

— J'ai continué à l'université par plaisir et j'ai passé un été en Allemagne. Votre curiosité est satisfaite ?

— Je ne suis pas curieux, dit Herbert. J'aime savoir exactement. »

Il expliqua longuement comment Pierre aurait à procéder, ce qu'il attendait de ses recherches.

« Vous faites un drôle de boulot, dit Pierre. Si je trouve ce que vous espérez, qu'est-ce qui vous dit que je ne fourguerai pas le document ailleurs ?

— Je connais les hommes, dit Herbert. Vous êtes un honnête garçon. »

Le rire sonore de Pierre fit tourner quelques têtes vers lui.

« J'ai dit quelque chose de drôle ? demanda Herbert.

— Non. Vous avez raison. Je suis un honnête garçon, même si tout le monde n'en est pas convaincu. »

Ils convinrent de se retrouver le surlendemain au bureau d'Herbert où l'on donnerait à Pierre un billet d'avion, un viatique et toutes les indications pratiques nécessaires à la réussite de son expédition.

« Gardez-les en mémoire, dit Herbert. Ne notez rien. On écrit toujours trop.

— Ça me plaît de partir, dit Pierre. J'en ai marre de ce pays à la con.

— On voit que vous ne connaissez pas les autres, mon cher garçon. »

Herbert fut affligé d'apprendre qu'il n'y avait plus de mille feuilles et broda quelques variations sur les mérites comparés des pâtisseries et friandises dans les divers pays où il avait eu l'occasion d'en déguster, ce dont témoignait sa corpulence. Pour les glaces, il recommandait l'Uruguay.

Pour les sucreries à la pistache, Constantinople. A s'en lécher les bobines.

« Les babines, rectifia Pierre machinalement. Et pour émigrer ?

– Ah ! n'émigrez jamais, mon cher garçon, croyez-en le vieux Herbert, n'émigrez jamais ou vous vous retrouverez rêvant de Sarcelles devant la baie de Rio. Tout est sinistre à l'émigré parce que tout est sinistre quand on est pauvre et seul.

– Ici aussi je suis pauvre et seul. Alors j'ai envie d'essayer ailleurs...

– On n'est jamais tout à fait seul dans son pays. Croyez-moi, mon cher garçon, une chambre d'hôtel au crépuscule dans une ville où vous ne connaissez personne, c'est à peine supportable dans un quatre-étoiles. Alors dans un meublé miteux... »

Il resta un moment, le regard vague, puis :

« Et pourtant, le métier de réfugié, c'est un métier auquel il est prudent pour un homme d'aujourd'hui de se préparer en quelque lieu du globe qu'il vive... Je crois que je cite exactement un auteur que votre génération ne lit pas. »

Leurs voisins de table se levèrent, aussitôt remplacés par un couple qui salua Herbert.

Il recomposa son visage et reprit :

« Nous étions en train de broyer du noir, il me semble. Voulez-vous un cognac pour dissiper ce nuage ? Non ? Alors... »

Il demanda l'addition.

« Sucreries mises à part, qu'est-ce que vous foutiez en Uruguay et à Constantinople ? dit Pierre.

– Je me le demande, mon cher garçon, je me le demande, dit Herbert. Moi qui ai toujours rêvé d'une chaire d'histoire de la philosophie à Cambridge... Un jardin, un chien, des roses... »

Pierre se leva pour extraire de l'argent de sa poche. Herbert lui saisit le bras.

« Laissez payer les sociétés anonymes. Attention ! Vous avez perdu quelque chose. Attendez... Je le vois... »

Il se baissa, avec une souplesse étonnante pour sa dimension.

« Tiens ! Un portefeuille rouge. Il est bien à vous ?

– Oui, enfin non, dit Pierre. Je l'ai trouvé quelque part. »

Herbert fouilla dans ses journaux, feuilleta l'un d'eux et mit sous les yeux de Pierre une annonce encadrée.

« Décidément, c'est votre jour faste, mon cher garçon, vous allez toucher une forte récompense. »

Il examina le cuir patiné, les angles écornés :

« On se demande qui peut bien tenir à ça... Il y a quelque chose dedans ? Vous avez regardé ? »

Il avait déjà ouvert le portefeuille, sorti son contenu, déplié le papier.

« Une lettre..., dit-il, qui commence par " Mon amour ". »

Il avait relevé ses lunettes sur le front et tenait le papier tout près de ses yeux myopes.

« J'ai vaguement lu, dit Pierre... C'est quelqu'un qui baratine. »

Mais Herbert poursuivait la lecture.

« C'est curieux, dit-il, j'ai l'impression de connaître cette écriture... »

Il tourna et retourna la lettre, examina l'en-tête.

« Vous me la confiez ? Je voudrais vérifier quelque chose. Je vous la rendrai mardi.

« Gardez-la, dit Pierre. Je n'ai rien à en foutre de leur récompense. »

A la pendule, il était dix heures.

*

Dans le Connecticut, sur la côte Est des Etats-Unis, il était quatre heures. Claire, emmitouflée jusqu'au nez, suivait des yeux Mike qui montait un cheval gris.

Qu'il n'y eût aucune trace de Mike dans les enquêtes de Pollux l'avait fortement divertie. Mike était son étoile de diamant, son jasmin d'Arabie, son petit pain chaud, son oiseau bleu. Mike était son fils.

En France, personne ne connaissait la présence dans sa vie de cet enfant blond parce qu'elle avait voulu qu'il en soit ainsi. Aux Etats-Unis, ses relations professionnelles ne s'intéressaient pas à la vie privée de cette Française efficace et dure en affaires.

Aux yeux de ses amis d'Amérique, les Hoffmann, elle passait pour l'une de ces originales qui se multiplient, peu disposées à s'encombrer d'un homme parce qu'elles veulent un enfant. Du moins était-ce là ce qu'ils en disaient.

En fait, Julie Hoffmann savait que la vérité, s'agissant de Claire, était plus complexe. Claire lui en avait confié l'essentiel lorsque, onze ans plus tôt, elle lui avait demandé refuge, proposant de venir faire la cuisine, le ménage, la bonne d'enfants, n'importe quoi pourvu qu'elle disposât, pour quelques mois, d'un toit loin de France.

Quant à Mike lui-même, elle lui avait dit qu'elle lui révélerait le nom de son père lorsqu'il aurait quatorze ans et que, d'ici là, il ne fallait pas poser de question. Il n'en posait jamais. Il imaginait. Au collège, la plupart de ses camarades étaient dans des situations familiales subtiles et s'abstenaient de les commenter.

Il passait les week-ends chez Julie qui avait une ribambelle d'enfants. L'été, c'est Claire qui accueillait toute la famille dans la maison qu'elle louait au bord de la Méditerranée, quelque part en Europe.

Tout cela lui coûtait la peau du dos, alors que sa voiture avait rendu l'âme et que son appartement avait fichtrement besoin d'être repeint... Détails subsidiaires.

C'est de Mike qu'il s'agissait dans la lettre de Tokyo. Ou, plus exactement, de ce qui allait devenir Mike.

En ce temps-là, Claire était depuis sept ans la maîtresse de celui que l'on continuera d'appeler ici Castor, vocable particulièrement impropre s'agissant d'une relation où il avait été, comme en toutes relations, le maître.

Elle l'avait rencontré à Lille, un soir qu'il était venu tenir une réunion. Claire s'y trouvait par hasard. Ses dessins étaient quelquefois acceptés par un bureau de stylistes travaillant pour une entreprise de textiles. Il y avait eu un loup dans une fabrication, et la jeune fille, qui souhaitait s'initier à la technique de l'impression sur certains tissus, avait passé la journée à l'usine. Le soir, le chef de fabrication, à qui Claire plaisait fort, l'avait engagée à rester davantage et à venir avec lui écouter Castor dont il était le fervent supporter.

Après la réunion, il n'avait pas été peu fier de la présenter à son grand homme, dans l'arrière-salle où était dressé un buffet. Les biscuits secs étaient humides, le champagne chaud, le jambon vert sous la lumière froide, mais là où se trouvait Castor il se passait toujours quelque chose d'indéfinissable. Affaire de testostérone sans doute. Il devait en avoir un peu plus que les autres. Ou bien était-ce sa voix ?

Il était laid, paraissait largement ses quarante-cinq ans, portait une cravate bête avec un costume fripé. Il n'était pas grand, mais lorsqu'il se déplaçait, le centre de gravité de la pièce semblait se déplacer avec lui.

En entendant le nom de Claire, il demanda si elle était la fille de cet universitaire helléniste qui, etc. Oui ? Quelle perte pour la France que sa mort précoce ! Le pays a besoin d'hommes de cette qualité, bonsoir mademoiselle, très heureux.

En partant, il fit signe au chef de fabrication. « Votre amie habite Paris ? Je rentre en voiture. Si elle veut que je la ramène... »

Elle voulait, mais sa valise... « Allez donc la lui chercher », dit Castor.

« Embarquée », murmura le chauffeur au collaborateur de Castor assis à côté de lui, à l'avant.

Mais pendant la plus grande partie du trajet, Castor somnola. A un feu rouge, il ouvrit les yeux, dit : « J'ai froid. Couverture. » Prit la main de Claire dans la sienne et se rendormit. Quand il se réveilla et s'ébroua, la voiture roulait déjà dans Paris. Claire n'avait pas prononcé deux mots.

« Quel âge avez-vous ? demanda Castor.

– Vingt ans, dit Claire.

– Vous vous taisez très bien. »

Arrivés devant la porte de la jeune fille, les trois hommes la laissèrent ouvrir la portière et descendre, portant sa petite valise.

« Au revoir, cria Castor. A bientôt. »

Pendant trois jours, elle sursauta chaque fois que sonnait le téléphone. Le quatrième jour, elle entendit : « Bonjour, c'est moi. Vous dînez avec moi ce soir ? »

Un mois plus tard, elle rompait sans explication des fiançailles avec un jeune énarque – bonne société protestante, Conseil d'Etat, pas de fortune, des traditions, son milieu en somme – et devenait le mouton noir de sa famille.

Castor ne lui avait rien demandé. Elle lui dit seulement que, désormais, elle était libre. Il est dans la nature des passions de brûler la terre autour du foyer où elles flambent.

Les relations qu'elle conserva n'ignoraient pas que, dans l'existence d'une jeune femme toujours seule le dimanche, il y a généralement un homme marié mais se gardaient d'interroger après avoir été une fois ou l'autre rembarrées.

Elle gagnait sa vie médiocrement mais assez bien pour assurer son indépendance matérielle. D'ailleurs, elle n'avait besoin de rien sinon de Castor, et travaillait essentiellement chez elle, toujours prête à le recevoir ou à le suivre.

C'est après leur séparation qu'elle fit l'apprentissage de la vraie solitude et des mille et une manières de la tromper. Mais y en a-t-il plus d'une ?

Le plus sérieux de ses amants épisodiques fut l'avocat

de bonne renommée qu'elle eut à consulter pour établir le premier contrat qui ratifiait sa réussite professionnelle. Elle l'avait connu tout jeune homme lorsque, supporter fougueux de Castor, il était venu porter la contradiction à l'adversaire pendant une campagne électorale. Castor le tenait en estime.

Elle eut aussitôt à ses yeux la séduction particulière d'une femme qu'avait aimée un homme admiré. Il eut pour elle la séduction de l'esprit. Pour le reste, quelque chose en elle était détraqué qu'aucun homme n'avait su depuis réparer. Il ne fut pas plus heureux, mais plus perspicace. Quand il devina qu'elle simulait le plaisir qu'elle feignait d'éprouver – on n'est jamais trop polie – il voulut en parler et ne réussit qu'à la faire pleurer, répétant : « C'est ma faute. Je suis cassée. »

Elle était assez avertie pour savoir que ces choses-là se passent aussi dans la tête.

Saisi d'une crise de jalousie rétrospective à l'égard de Castor, il posa des questions intolérables. Elle le jeta dehors. Il y resta.

Demeura entre eux une tendresse qui perdura. Claire tenait à lui comme à un grand savon contre lequel il était bon de se frotter lorsqu'elle était excessivement mélancolique. Il lui disait qu'elle était la femme la plus désirable de sa connaissance mais qu'elle deviendrait laide si elle s'obstinait dans il ne savait quel fantasme. Heureusement, il y avait des femmes moins compliquées.

« Je ne suis pas compliquée, protestait Claire, je suis ensorcelée. »

Un homme avait laissé sur son corps l'empreinte dont, sans doute, elle ne voulait pas se défaire puisque aucun autre ne parvenait à l'effacer. Du moins était-ce là son interprétation d'une inertie persistante qui donnait à ses relations amoureuses un caractère de culture physique, et quoi de plus morne que la culture physique, fût-ce avec un beau professeur ?

Sa liaison avec Castor avait été, en revanche, un long

bonheur tremblant et l'amour avec lui une fête grave comme le sont les cérémonies.

Il ne lui avait pas caché qu'il ne divorcerait jamais d'une épouse parfaite, mais Claire ne demandait rien de tel. Parfaite : c'est aussi le mot qu'avait employé Pollux dans la seule circonstance où Claire avait posé des questions. L'épouse du leader politique, telle que chacun en rêve. Inaugurant les piscines et les C.E.S. comme si c'était un plaisir, aimée des électeurs, respectée par les adversaires, disposant d'une fortune personnelle et d'une maison de famille, connue dans tout le département où se trouvait la circonscription de Castor parce que son père y avait été préfet, rompue à la vie politique, et pratiquant la résignation souriante.

Claire souhaitait sa mort, naturellement, mais comme on souhaite gagner au loto, sans prendre de billet. Et s'appliquant à l'ignorer, elle y parvenait assez bien. Castor n'évoquait jamais son existence. Ce n'était pas une épouse qu'il rejoignait, le vendredi soir, mais une circonscription. Ce n'était pas sa femme qui l'attendait mais sa mairie. Et le dimanche ne s'achevait jamais sans qu'il eût téléphoné à Claire.

Enceinte par inadvertance – du moins le crut-elle – sa joie fut sans mélange. Sans doute les choses deviendraient-elles un peu plus difficiles, mais un petit Castor ne lui faisait pas peur dès lors que le grand ne pouvait se passer d'elle.

Cependant, elle n'en dit rien parce que Castor était engagé dans l'un de ces combats sans merci qui le mobilisaient tout entier. L'habitude commence avec le premier acte; le contrat tacite qui s'établit spontanément dans toutes les relations humaines impliquait, de sa part, qu'elle ne lui pose jamais aucun problème.

Puis elle apprit qu'il serait absent pendant un mois. Un voyage au Japon, qu'il poursuivrait dans les possessions françaises du Pacifique.

Il vint passer chez elle la nuit précédant son départ et,

en la regardant, le matin, dévorer des toasts au miel, dit : « Il me semble que tu as grossi. Ça te va bien. »

Elle rit et répondit qu'elle avait grossi, en effet, parce qu'elle attendait un enfant. D'abord, il dit tranquillement que c'était une tuile, mais qu'elle arrangerait cela pendant son absence et que si elle avait besoin d'argent, il donnerait des instructions à sa secrétaire.

Claire dit qu'il n'en était pas question, qu'elle tenait à cet enfant, que, d'ailleurs, en toute hypothèse, il était trop tard. Alors, pour la première fois, elle eut peur de lui. De l'homme violent, brutal, insultant, qui criait : « Qu'est-ce que tu as cru ? Que je divorcerais ? Tu ne sais pas encore qu'on ne me fait pas chanter ? »

Il ne voulait pas d'enfant, à aucun prix, jamais. Elle se débattit, supplia, jura qu'il n'en aurait aucun désagrément, aucun souci.

On sonna à la porte, le chauffeur qui s'inquiétait : la route de l'aéroport risquait d'être encombrée, il était tard.

« J'arrive », dit Castor.

Il regarda Claire avec une sorte de haine, pendant que le chauffeur emportait sa valise et sa serviette.

« Si tu ne règles pas cette affaire avant mon retour, je ne te reverrai de ma vie, dit-il. Choisis. »

Et il partit en faisant claquer la porte.

Au bureau où Claire apportait ses derniers dessins, on lui trouva mauvaise mine. La directrice lui jeta le regard perspicace de celle qui emploie une majorité de jeunes femmes et demanda :

« Vous avez des ennuis ?

– Oui, dit Claire.

– Je peux vous aider ?

– Peut-être. Je... »

On la releva évanouie. Et, quand elle reprit connaissance, elle refusa que l'on prévienne qui que ce soit. On l'obligea à se reposer avant de repartir et elle s'endormit sur un canapé. Elle dormait beaucoup depuis quelques semaines. On la réveilla à sept heures du soir. Elle promit de donner de ses nouvelles.

Le surlendemain, elle recevait la lettre de Tokyo. Castor écrivait qu'il avait essayé pendant plusieurs heures de lui téléphoner, qu'elle était la seule au monde qui l'ait jamais compris, mais un enfant était l'unique outrage que sa femme, incapable d'en avoir, ne tolérerait pas. Elle connaissait évidemment l'existence de Claire, on ne s'était pas fait faute de l'en informer, et l'avait sobrement prévenu. Or, un divorce, c'était la fin de ses ambitions, et au moment même où il pouvait espérer les accomplir.

Suivaient quelques considérations sur l'état de la France qu'il lui appartenait de sauver du déclin, sur la situation nationale et internationale, et ses principaux acteurs, sur les hommes de son propre parti.

Il comptait sur le sens politique de Claire pour en finir avec ce cauchemar vulgaire qui leur allait si mal, à tous les deux, et répétait que si elle persévérait dans son caprice, il ne la reverrait jamais. Jamais.

Claire reçut cette lettre au courrier du matin. Elle la lut trois fois, pelotonnée sur son lit. Quelques idées folles lui traversèrent l'esprit, qui l'occupèrent toute la matinée. Prendre le premier avion pour le Japon. Aller voir la femme de Castor. Avaler un tube de somnifères.

Elle resta deux jours enfermée, en peignoir, les cheveux emmêlés. Quand le téléphone sonna, elle décrocha le récepteur, le posa près de l'appareil et l'y laissa. De temps en temps, elle descendait de sa loggia pour aller croquer une pomme, avaler un verre de lait, elle mettait *L'Amour et la Vie d'une femme* sur son tourne-disque et pleurait en entendant Kathleen Ferrier.

Le troisième jour, elle prit une feuille de papier, écrivit « *What is done is done and can't be undone* », signa, libella l'enveloppe et la ferma. Puis elle prit dans son sac le petit portefeuille rouge qu'elle avait acheté pour y mettre une photo de Castor qui ne la quittait jamais, tendit la photo à la flamme d'un briquet jusqu'à ce que le papier soit entièrement consumé, plia la lettre de Tokyo et la glissa dans le portefeuille. Un jour, le fils ou la fille de Castor aurait le droit de la lire.

Elle se maquilla avec soin, s'habilla, raccrocha le récepteur de son téléphone et sortit.

En jetant dans la boîte la lettre destinée à Castor, elle se souvint que ce jour-là était celui de son anniversaire – vingt-sept ans – et pensa qu'elle venait d'accomplir son premier geste d'adulte. Maintenant, il fallait aviser.

Le temps était sec et clair. Elle marcha d'un pas ferme jusque chez son coiffeur et demanda qu'on lui coupe les cheveux.

Suivant des yeux Mike qui essayait de mettre son cheval au galop en lui criant : « Regarde, Maman, regarde ! » elle se demanda une fois de plus ce qui serait advenu si Castor s'était trouvé à Bruxelles et pas dans le Pacifique, s'il était revenu, si Julie avait été moins spontanément chaleureuse au téléphone...

Sans doute serait-elle aujourd'hui une ombre dans l'ombre de Castor, souffrant à le voir sur le petit écran recevoir en compagnie de sa parfaite épouse le Chancelier d'Allemagne ou le Premier chinois. Au lieu de quoi, outre qu'elle le trouvait plutôt comique, dans ce numéro-là, elle se sentait libre et forte bien qu'elle fût en train de se geler les pieds, forte et riche de cette petite merveille casquée de blé comme sa mère. Au diable Castor, son égocentrisme, sa paranoïa, ses adversaires, sa police, ses complots. En la soupçonnant de bassesse, il l'avait délivrée une seconde fois. Pourquoi ne racontait-on jamais ce que le pouvoir fait aux hommes, mais seulement ce que les hommes font du pouvoir ?

Un jour, elle en ferait une bande dessinée à l'usage des petites filles. Et, pourquoi pas, des petits garçons.

Sur cette grande prairie bruissante de cris d'enfants, le passé lui apparaissait comme ces vieilles robes dont on hésite à se débarrasser jusqu'au jour où l'on découvre que les mites les ont trouées. A jeter.

Mais, de ce passé il fallait protéger Mike jusqu'à ce qu'il soit en âge de comprendre.

*

Herbert fouilla dans ses archives pendant une bonne partie de la nuit. Il possédait, chez lui, des dossiers en tous genres qui, s'accumulant, avaient envahi progressivement tout l'appartement qu'il occupait. Seule une vieille servante sourde y avait accès pour les dépoussiérer, une fois par semaine, sous sa surveillance.

Ces archives, c'était sa passion, son instrument de travail, sa fortune. Depuis que, telle une colonie de fourmis, elles commençaient d'envahir la chambre où il dormait, il se disait que la sagesse dictait de les mettre sur microfilms. Mais une sagesse supérieure lui interdisait de les confier aux mains étrangères indispensables pour procéder à l'opération. Un classement tout personnel lui permettait généralement d'y puiser rapidement et utilement. Mais ce qu'il cherchait dans les cartons où étaient entassées quelques centaines d'échantillons d'écritures et de signatures nécessitait une longue patience.

Les jambes enroulées dans un plaid, une lampe puissante éclairant sa table, il passa plusieurs soirées à scruter des papiers manuscrits de tous formats avant que l'un d'eux livre la réponse qu'il attendait. Un feuillet couvert de notes prises par le Président au cours d'une conférence de presse, qu'Herbert avait ramassé quelques années plus tôt. Les mots étaient abrégés, l'écriture hâtive mais incontestablement identique.

Il relut la lettre que Pierre lui avait confiée. Un fameux document. Ce que le Président écrivait à cette dame avait de quoi faire jaser, outre que le contenu proprement politique de la lettre pouvait également devenir explosif sous une telle plume.

Herbert en prit une photocopie qu'il rangea sous clef, replaça l'original dans le portefeuille rouge et décida de procéder à une ultime vérification en recherchant si, un certain mois de novembre, le Président se trouvait bien au Japon. La lettre était datée mais non millésimée.

Confirmation acquise, il s'interrogea sur le meilleur usage à faire de ce document.

*

Le week-end de Pâques projeta les Français sur les autoroutes, Claire dans un 747 d'Air France en direction de Paris et Pollux dans un Mystère 20 du G.L.A.M. en direction de sa circonscription. Il possédait là une vieille maison douillette, parquets cirés, papiers peints, commodes ventrues, héritée de son père qui l'avait lui-même héritée du sien.

Autrefois, le dimanche de Pâques et le jour de Noël, on se retrouvait à vingt-deux autour de la grande table en merisier munie de toutes ses allonges, pour déguster l'agneau rôti ou la dinde aux marrons. Pollux se souvenait encore de son grand-père récitant le bénédicité. Puis la famille s'était dispersée, les enfants s'étaient mariés, et on ne les voyait plus réunis, de temps à autre, que pour les obsèques des anciens.

Lorsque le député du lieu décéda et que Castor, en quête d'un candidat capable d'emporter le siège dans une élection partielle, vint suggérer à Pollux de s'y présenter, l'épouse de Pollux déclara sur-le-champ qu'il ne fallait pas compter sur elle pour s'enterrer dans un trou de province sous prétexte que son mari y était né.

« Qu'est-ce que ça signifie, un trou de province ? dit Castor qui la tenait pour une pécore parce qu'elle était manifestement insensible à son charme. Nous sortons tous

46

d'un trou de province et je ne serais pas étonné, ma petite Jeanne, que votre grand-père ait été cul-terreux. Sinon lui, votre arrière-grand-père. »

Pris en tenailles entre les deux puissances qui le dominaient, c'est à Castor que Pollux céda. Peut-être parce qu'il était las de l'incessant bavardage de sa femme qui bourdonnait comme une guêpe autour d'un confiturier, saisie de panique dès qu'un silence se prolongeait.

« Elle est ravissante mais il faut lui couper les cordes vocales », avait déclaré Castor lorsque Pollux lui avait présenté la jeune femme qu'il allait épouser.

A l'époque, Pollux n'avait pas apprécié. Depuis il était convenu, en son for intérieur, que cette logorrhée eût mérité d'être endiguée.

Les brèves apparitions de cette Parisienne haute couture – secteur où elle exerçait avec succès son activité – avaient produit, dans la ville natale de Pollux, le plus mauvais effet, d'autant que, malgré les conseils impérieux de Castor, elle avait refusé d'aller à la messe le dimanche.

Mais Pollux, lui, était vraiment l'enfant du pays, bien qu'il l'eût déserté. Sa famille s'y trouvait encore largement représentée. Ses sœurs, que le style de Jeanne indisposait, répandirent le bruit qu'il avait fait un mariage malheureux, certes, mais que l'on ne quitte pas la mère de ses enfants fût-elle mauvaise épouse.

Et bientôt, ce fut lui que l'on plaignit.

Mauvaise épouse ? C'était vite dit. Elle avait uni sa vie à celle d'un jeune homme nonchalant, épris d'art et de cinéma américain, accumulant à Paris les diplômes universitaires pour retarder le moment où il lui faudrait entrer dans les affaires de son père. Elle se retrouvait, dix ans plus tard, mariée avec le député d'une région ingrate, qui s'appliquait à connaître jusqu'au nom des vaches et des chiens de ferme dans le canton rural de sa circonscription. C'était une rupture de contrat. Pollux en convint. Mais quoi ! Cela ne durerait pas. Nul doute qu'aux prochaines élections générales, il perdrait le siège enlevé à l'arraché.

Or, il fut tout au contraire mieux élu. Dans l'engrenage où Castor lui avait fait glisser le doigt, comme par jeu, Pollux était bel et bien passé tout entier.

Désormais, elle eut le sentiment de vivre à côté d'un drogué. Cependant, quand elle le quitta, ce fut encore lui qu'on plaignit.

Au cours des années, la situation locale de Pollux était devenue, semblait-il, inexpugnable, mais il avait appris qu'il n'existe pas de situation politique inexpugnable pour qui néglige durablement de la fortifier. Et depuis qu'il était au gouvernement, il mettait un soin tout particulier à faire la preuve hebdomadaire de sa présence vigilante, dont il importait que la presse locale eût matière à transmettre l'écho. S'il annonçait régulièrement à Castor qu'il songeait à se retirer de la vie politique, Pollux eût mal supporté d'en être exclu par ses électeurs.

Ce week-end pascal, il remplit donc ses obligations de bout en bout, changea de chemise et de costume – toujours les mêmes répétés à plusieurs exemplaires afin que l'abondance de sa garde-robe demeure ignorée – et atterrit à temps à Villacoublay pour passer chercher Claire, retour des Etats-Unis, afin de l'emmener dîner.

Il la trouva dans cet état de léger survoltage où la mettait toujours un séjour à New York, exceptionnellement animée et quasiment désinvolte. Décidément, elle avait changé, la petite Claire. Lui, en revanche, était soucieux, et pas seulement à cause des doléances et récriminations contre le gouvernement qu'il avait recueillies pendant trois jours.

Castor l'inquiétait. L'intriguait, en tout cas. La semaine précédente, alors que Pollux était surchargé de travail, Castor l'avait convoqué à deux reprises pour l'entretenir de questions secondaires, puis avait glissé dans des considérations métaphysiques sur le sens de la vie et la vanité du pouvoir, propos incongrus dans sa bouche. Pollux était chaque fois reparti avec le sentiment que son vieil ami souhaitait lui dire quelque chose de plus qu'à la fin il ne disait pas.

« Il serait temps, dit Claire, qu'il s'interroge sur le sens de la vie. »

Mais Pollux dit qu'avec tout ce qu'ils avaient sur les bras, ce n'était vraiment pas le moment. Heureusement, cette affaire de portefeuille rouge avait été sans suite. Cependant, Castor en avait reparlé.

« Je ne serais pas étonné qu'il ait envie de vous voir... », dit Pollux.

Claire planta ses yeux mauves dans ceux de Pollux.

« Eh bien, cher Pollux, dites-lui que ce n'est pas réciproque. »

Ils passèrent le reste du dîner à parler des Etats-Unis.

« Vous aimez ce pays, dit Pollux.

– Pas exactement, dit Claire. Disons que j'aime un Américain. »

Pollux se déclara enchanté de l'apprendre et souhaita longue vie à cet amour.

« Je vous le présenterai, dit Claire. Dans quatre ans. »

Elle regretta aussitôt ces trois mots. Pourquoi avait-elle baissé la garde ? Déjà, Pollux questionnait. Quatre ans ? Pourquoi quatre ans ?

Elle dit qu'elle était fatiguée par le décalage horaire et souhaitait rentrer. Inutile de la raccompagner, elle trouverait un taxi.

« Vous n'y pensez pas, dit Pollux. Si on allait encore vous arracher votre sac avec un secret d'Etat ! »

Elle le quitta devant sa porte en promettant de lui téléphoner et en se promettant de ne plus le revoir.

*

Le lendemain, Pierre rentra d'Allemagne, mission accomplie mais vivement impressionné par le mur de Berlin.

« On sait que ça existe, dit-il à Herbert, mais c'est intellectuel. Il faut le voir. »

Il l'avait vu, ce galon mortel, hérissé autour de la grande ville mutilée, artificielle, maintenue à un niveau extravagant d'activités culturelles, comme on disait maintenant, par des injections massives d'argent.

« Ne me parlez pas de Berlin, dit Herbert. Personne ne peut imaginer ce qu'a été Berlin. Ne m'en parlez plus, ou vous allez connaître la couleur des larmes du vieil Herbert. »

Pierre rapportait les photocopies des documents sur lesquels il avait pris option et qui corroboraient une enquête menée en France. Herbert le rétribua généreusement et lui conseilla d'acheter des chaussures. Ce grand garçon ardent et sombre le touchait.

A qui d'autre aurait-il rendu le portefeuille rouge – auquel Pierre ne pensait plus – en lui disant : « Il y a une petite fortune là-dedans. Ou, si ça vous amuse davantage, un cocktail Molotov. Mettez le tout en lieu sûr. Dans mon coffre, si vous voulez pour l'instant, mais il est à vous. Allons déjeuner, je vais vous expliquer. »

Il l'emmena dans un restaurant du centre de Paris, proche de son bureau, où la patronne lui réservait, lorsqu'il le souhaitait, une petite pièce tranquille.

« Si les murs avaient des oreilles, commença Herbert après avoir soigneusement composé son menu, nous pourrions compter nos abats, vous et moi. Mais j'ai déjà eu l'occasion de vérifier qu'ici, ils n'en ont pas. »

La réaction de Pierre, lorsqu'il eut appris ce qu'il détenait, fut celle qu'il attendait.

« C'est un salaud, ce mec, dit-il. Un pur salaud. Il faut publier cette lettre.

– Je veux bien, dit Herbert, je veux bien. Mais ce sont là des choses qui méritent réflexion. Admettons que je publie... Au mieux, nous n'aurons pas d'ennuis. Mais la femme à laquelle il écrit, vous y pensez ? Et l'enfant, si enfant il y a eu ? »

Pierre en convint, à regret.

« Ne vous dissimulez pas, dit Herbert, que vous pouvez monnayer cette lettre et en tirer de quoi vivre pendant un bon moment ! Je peux vous indiquer au moins trois personnes qui seraient fortement intéressées... »

Pierre se leva brusquement et Herbert eut le geste de protéger son visage. Mais l'autre ne cherchait que des cigarettes. Herbert poursuivit :

« D'abord celui qui l'a écrite. Mais ce n'est pas sans danger. Il a des moyens. Ensuite, le ministre de l'Intérieur. C'est un homme à qui on peut parler. Un vieux renard qui sait son métier. Enfin... j'aurais dû dire d'abord : le principal adversaire de notre bien-aimé Président. Ce monsieur-là... »

Il montra une photo dédicacée qui ornait, parmi d'autres, les murs de la petite pièce.

« ... Ce monsieur-là paierait très cher... »

Pierre fumait, silencieux.

« ... si nous mangions de ce pain-là. »

Il attendit un moment et demanda :

« En mangeons-nous ?

– Il n'en est pas question, dit Pierre. Pas question. »

Le serveur entrait, apportant le café. Ils se turent, attendant un moment après que la porte eut été refermée.

« Vous voyez bien, dit Herbert, que vous êtes un honnête garçon.

– Ne vous foutez pas de ma gueule, dit Pierre. Il m'est arrivé de voler et peut-être qu'un jour je recommencerai. Mais le chantage, non. Ni directement ni indirectement.

– On peut aussi laisser tomber, dit tranquillement Herbert. Après tout, qu'est-ce que ça peut nous faire, tout ça !

– Ça me fait, dit Pierre. Je suis le fils d'une femme qui a peut-être reçu, un jour, une lettre de ce genre.

– Vraiment ! dit Herbert. Racontez-moi ça ! »

Mais Pierre ne semblait pas disposé à raconter.

« Elle vit encore, votre mère ?

– Bon, dit Pierre, comme vous ne me foutrez pas la

paix... Elle vit si on peut appeler ça vivre. Moitié cuisinière moitié garde-malade d'un connard grandiose qu'elle a épousé parce que, paraît-il, il me fallait un père, le vrai ayant fait défaut.

– Je comprends, dit Herbert. Donc, on ne laisse pas tomber.

– Non, dit Pierre. On va le faire payer ce mec, mais pas avec du fric. Ce que je veux, c'est le faire flipper. »

*

Pour l'heure, Castor ne flippait pas. Dans le DC 10 qui l'emmenait au-delà des mers, pour un voyage officiel de trois jours, il pensait avec ennui aux discours qu'il lui faudrait prononcer et écouter, debout, sans le secours de sa canne, alors qu'une douleur sournoise s'était insinuée depuis quelques jours dans sa hanche, et qu'aucun résultat positif n'était à espérer de ce voyage. En outre, ces brutes avaient érigé leur monument aux morts en haut d'un escalier...

Allongé dans la partie avant de l'avion présidentiel séparée par un épais rideau du reste de l'appareil où se trouvait sa suite, il s'assoupit. Il avait la faculté de s'endormir à volonté, grâce à quoi il supportait avec une aisance remarquable et remarquée les décalages horaires que certains Français persistaient à appeler *jet-lag*.

Il se réveilla furieux après avoir rêvé de Claire, nue, lui prenant sa canne, et lui montrant qu'elle était cassée. Bien que les arcanes de la pensée freudienne lui fussent étrangers, mieux : qu'il n'eût que sarcasmes à leur égard, le symbole évident l'indisposa. Le spectacle offert par une hôtesse en jupe courte penchée pour ramasser la canne qu'une turbulence avait jetée par terre et l'émotion concrète qu'il se sentit tout près d'en éprouver le rasséréna.

Pendant le reste du parcours, il travailla. Quand il fit appeler le secrétaire général auprès de lui, il avait largement corrigé le discours qu'on lui avait préparé pour le lendemain et n'en était pas mécontent. A l'arrivée, pour répondre à l'allocution de bienvenue, il se donnerait les gants de parler sans notes, que l'interprète soit prévenu.

Il restait vingt minutes de vol pendant lesquelles il fut aimable avec son épouse. Elle lui raconta ce que l'on rapportait au sujet de l'ambassadeur.

« Lequel ? demanda Castor.

– Le nôtre. Vous connaissez sa femme ? »

Il l'avait rencontrée. Une petite personne très baisable.

« Oui, dit-il. Elle est charmante. »

On disait précisément que c'était aussi l'avis du ministre en charge des Affaires étrangères, qu'il en était même entiché.

« Vous allez voir qu'il va vous suggérer de nommer le mari à Berne », dit-elle.

Berne est le poste diplomatique le plus proche de Paris.

« L'ambassadeur est con, mais pas bête, dit Castor. Il refuserait. »

La Présidente soupira. Il était temps qu'elle mette son chapeau. Le port d'un objet enclin à s'envoler ou à chavirer sur une tête réfractaire lui avait toujours posé problème, mais c'est un stoïcisme que l'on exige encore de la femme de César, fût-elle dolichocéphale.

Le Président la regarda et la jugea parfaite, comme d'habitude, dans son tailleur châtaigne, parfaite, c'est-à-dire sans rien de remarquable. Elle était d'ailleurs de ces personnes sur qui le vermillon lui-même eût paru discret. La violence, chez elle, se trouvait à l'intérieur.

Le chignon blond toujours croulant de Claire s'interposa un instant entre le regard de Castor et la nuque grise de son épouse, image qu'il expulsa aussitôt, exaspéré par un abus de réminiscences rarissimes chez lui.

Le pilote venait de poser l'appareil et roulait maintenant de façon que la porte se trouve très exactement dans l'axe du tapis rouge déployé sur l'aéroport. Le Président descendit le premier la passerelle au bas de laquelle l'attendait le cercle des officiels. Il dut écouter, debout, les hymnes nationaux et passer les troupes en revue.

Quand il entra dans le pavillon de l'aéroport réservé aux hôtes d'honneur, la douleur qui le tracassait depuis une semaine se fit soudain fulgurante.

Rien n'en parut sur son visage, mais lorsque deux petites filles en robes brodées assorties vinrent chacune remettre un bouquet à l'auguste visiteur et à Madame, sa vie en eût-elle dépendu, il n'aurait pas pu se pencher. Il demeura donc très raide, tapotant vaguement du bout des doigts la joue de la mignonne au lieu de l'embrasser comme elle s'y attendait, si bien que, désappointée, elle fondit en larmes. On se précipita pour l'escamoter. Le Président eut encore à répondre, debout, à l'allocution de bienvenue de son hôte avant d'atteindre une voiture.

A la Résidence des hôtes illustres, reliée directement pour la circonstance avec Paris, le Président fut aussitôt averti qu'une communication de la plus extrême urgence l'attendait.

Il la prit, allongé sur un canapé, tout en avalant l'antalgique que lui tendait son médecin. C'était sa secrétaire.

« Monsieur le Président, dit-elle, une petite catastrophe s'est produite dont nous venons d'être prévenus. Une erreur désastreuse... »

Ses deux dernières paires de chaussures avaient été faites par le bottier sur une forme ancienne qui aurait dû être détruite. La semelle intérieure destinée à compenser le raccourcissement de sa jambe droite n'avait pas la hauteur nécessaire. Le bottier était au désespoir, et sachant que le Président souffrait depuis quelques jours, elle avait cru bon... Une paire correctement équilibrée arriverait le soir même par l'avion régulier. Au soulagement qu'il éprouva, Castor sut qu'il avait eu peur.

« J'étais sûr que vous n'aviez rien de sérieux, dit son médecin également rassuré.

– Moi aussi, dit Castor. Je n'ai qu'un âne pour bottier, un veau pour médecin, une douleur intolérable dans les reins et une couronne à déposer dans une demi-heure aux pieds du Héros de la Révolution. Qu'est-ce que vous suggérez ? »

Le temps qu'agisse une infiltration de cortisone, le Président eut quelques minutes de retard mais, au prix d'un effort déchirant, il parvint à faire ce qu'il avait à faire. Son séjour se déroula sans incident notable. Pendant le voyage de retour, endolori mais détendu maintenant qu'il en avait terminé, il jeta un coup d'œil sur la revue de la presse française relative à son voyage. Rien que de prévisible dans les deux sens. Pourquoi diable déplaçait-on des journalistes ? Feuilletant un hebdomadaire illustré, il tomba sur une photo prise lors de son arrivée.

Un photographe l'avait saisi, raide, distant, devant la petite fille en larmes que l'on arrachait à sa vue. Reproduite en pleine page, la photo était assortie d'un titre : « Le chagrin d'un enfant... ». Suivait une légende : « En dédaignant d'embrasser l'adorable fillette qui lui présentait l'hommage de son pays, le président de la République a choqué une population traditionnellement attachée aux valeurs familiales et dont notre envoyé spécial a recueilli l'expression dans la bouche d'une mère : « C'est un triste « pays, a dit cette femme noble et simple, celui dont le « Président n'aime pas les enfants. »

Absurde mais sans gravité. Ce que Castor avait redouté de ces chiens de la presse, c'était une allusion à son état de santé.

Il tourna une page, puis une autre, parcourut trois lignes ici, deux lignes là, revint en arrière, tomba cette fois sur la photo d'une starlette extasiée, un nouveau-né dans les bras, accompagnée d'un gros titre : « Maman !... Le plus beau rôle de sa carrière... » La starlette extasiée ressemblait vaguement à Claire. Castor repoussa le magazine, retira ses lunettes.

Assise en face de lui, sa femme somnolait la bouche ouverte.

Il ferma les yeux, mais l'assaillit l'image qu'il avait tenté de refouler. Le geste de Claire pour protéger son ventre quand elle avait cru qu'il allait la frapper.

Une forte secousse de l'appareil lui fit ouvrir les yeux. La Présidente ballottait de la tête, toujours assoupie. Vingt ans au moins qu'il ne l'avait pas vue dormir, la chère âme. La regardant, il trouva que les années avaient plutôt amélioré ce visage sec de femme bréhaigne, et à la contempler ainsi abandonnée au sommeil il céda à un vague attendrissement. Que ne lui avait-il pas fait endurer à cette épouse irréprochable, et que n'avait-il pas enduré, lui aussi, à cause d'elle... Mais voilà qu'encore une fois le passé refluait comme si quelque part un barrage s'était fissuré. Et voilà que la Présidente ronflait, maintenant !

Il lui donna un coup de canne sur le tibia pour la réveiller.

*

La photo désobligeante n'avait pas échappé à Pollux, d'autant plus qu'un autre journal rapportait également l'attitude singulière du Président. Mais, dans l'ensemble, la presse n'était pas mauvaise.

Pollux habitait au ministère qu'un précédent occupant avait fait tapisser de brocarts, cadre qui l'avait fortement affligé jusqu'à ce qu'il ne le voie plus. L'appartement privé était confortable et, allant fouiller lui-même dans les réserves de l'Etat, il avait découvert un grand Soulages, dont la vue le réjouissait lorsqu'il ouvrait l'œil, le matin, dans son lit rose de cocotte. Levé à six heures trente, il écoutait le bulletin d'information de sept heures en petit déjeunant et s'en allait tous les jours, quel que soit le temps, marcher seul, pendant une demi-heure, sur les Champs-Elysées, en direction de la Concorde.

Que Paris était beau avant qu'il ne s'engorge de voitures. Beau dans l'aube timide de décembre, quand les grands marronniers nus dressaient leurs bras noirs et que brillaient encore les réverbères, beau dans les petits matins gris de mars, acides encore mais déjà on espérait, beau dans la lumière dorée de juin quand les premières flèches du soleil perçaient les frondaisons.

Au bout de l'avenue, Pollux traversait, remontait jusqu'au Grand Palais, traversait à nouveau et reprenait l'avenue Marigny jusqu'au ministère où il disposait encore d'une heure de tranquillité pour travailler seul, dans son bureau. C'étaient là les bons moments de la journée, ceux où il pouvait réfléchir. Ensuite, le cirque commençait.

Ce matin-là, sa secrétaire particulière, Mme Celle, qui l'assistait depuis quinze ans, pénétra à huit heures quarante-cinq dans son bureau, une certaine animation sur son visage de quinquagénaire soignée.

« J'ai du nouveau, Monsieur le Ministre », dit-elle.

Elle posa devant lui le portefeuille rouge...

C'étaient son nom et son adresse que Pollux avait fait figurer sur l'annonce, sûr d'elle comme de lui-même.

« ... Mais il y a un ennui », dit-elle.

Elle raconta que, la veille, un homme s'était présenté chez elle, lui avait mis l'objet dans la main et s'était éclipsé avant qu'elle ait pu dire un mot.

Maroquin rouge, culotté, coins usés... Insensé qu'elle n'ait pas su retenir cet homme et obtenir son nom. Avait-elle regardé ce que contenait le portefeuille ? Non, elle n'avait pas cru devoir s'autoriser.

« C'est bien, dit-il. Je vous appellerai. »

Il ouvrit le portefeuille comme on ouvre une chemise sur un sein nu. Enfin, il allait savoir. Il en tira un papier blanc portant douze mots découpés dans un journal et collés :

« C'EST UN TRISTE PAYS CELUI DONT LE PRÉSIDENT N'AIME PAS LES ENFANTS. »

Il tourna et retourna le papier, relut et relut... Qu'est-ce que c'était que cette plaisanterie ?

Le Ministre réunissait chaque matin ses collaborateurs immédiats à neuf heures. Déjà, l'un d'eux passait la tête par la grand-porte donnant sur le couloir. Ensuite, il devait se rendre à Roissy pour accueillir le Président.

Il indiqua que l'on pouvait entrer, tandis que le cartel Louis XVI commençait à sonner l'heure, dit : « Je reviens... » et sortit par la petite porte communiquant avec le bureau voisin où se tenait sa secrétaire. De là, il appela Claire et la pria de passer au ministère avant dix heures. Elle ne pouvait pas. Il insista, elle résista, il proposa d'envoyer sa voiture, elle répondit qu'elle savait voyager en métro, il dit enfin que c'était urgent et grave, qu'il lui était impossible, à lui, de se rendre chez elle, qu'il ne la retiendrait pas cinq minutes. Qu'elle vienne, on l'attendrait au perron et elle serait introduite aussitôt.

Le cartel sonnait le troisième quart d'heure lorsque la secrétaire poussa la petite porte et fit le signe convenu. Pollux expédia ses collaborateurs. Quand ils furent tous sortis, Claire entra.

Pollux lui tendit le portefeuille.

« Vous le reconnaissez ? »

Claire le saisit. Oui, c'était lui.

« Quelqu'un l'a rapporté. Regardez ce qu'il y a dedans. »

Elle déplia le papier, étonnée de ne pas le reconnaître, et lut : « C'EST UN TRISTE PAYS CELUI DONT LE PRÉSIDENT N'AIME PAS LES ENFANTS. »

Elle se laissa tomber sur l'un de ces fauteuils Régence fabriqués sous Napoléon III, dont le Second Empire a peuplé les édifices publics en même temps que de faux Boulle, nota distraitement que le velours en était hideux, lut à nouveau le papier.

« Vous comprenez ce que ça veut dire ? demanda Pollux.

— Ça veut dire qu'il y avait une lettre dans ce portefeuille, que quelqu'un l'a lue et identifié son auteur, dit Claire.

— Mais cette phrase, pourquoi cette phrase stupide, découpée dans quelques lignes stupides ? »

Il lui arracha le papier des mains, et comme elle se taisait :

« Claire, dit-il, et ce n'était plus du tout le bon Pollux, Claire, j'en ai assez de ces mystères. »

Elle se leva, resserra la ceinture de son ciré, enfonça les mains dans ses poches – elle sortait sans sac maintenant le plus souvent possible –, et dit :

« Je vais être en retard. Montrez donc ça à votre ami Castor, il comprendra sûrement, lui. »

Elle poussa la porte, traversa le bureau contigu, et salua d'un signe de tête Mme Celle en passant devant elle.

C'était ça, la fameuse Claire, dont on disait que le Président avait été fou, autrefois ? Décidément, les hommes n'ont pas de goût. Une blonde insignifiante, même pas élégante, avec ce drôle de chapeau imperméable et ces bas rouges. De jolies jambes, d'accord, de l'allure, mais on se demande ce qu'ils ont, avec les jambes.

Le *bzz* d'une sonnerie avertit la secrétaire que le Ministre l'appelait. Elle entra et aperçut avec satisfaction dans le grand miroir de la cheminée son faux Chanel si distingué.

*

Dans le pavillon d'honneur de Roissy, où les membres du gouvernement attendaient, debout parmi une vingtaine de fonctionnaires divers, l'avion du Président, Pollux arriva le dernier.

Cette corvée lui pesait, même lorsqu'il n'avait pas lieu d'être nerveux. Que des hommes et des femmes surchargés d'obligations perdent deux heures ou plus, chaque fois que le Président se déplaçait – et il ne cessait de courir le monde –, que le Premier Ministre lui-même, hagard, submergé de travail, soit requis, c'était moyenâgeux. Le Roi parmi ses féaux. Mais telle était l'étiquette en vigueur : plus le Président voulait honorer le pays visité, plus les membres du gouvernement l'accompagnant et l'accueillant à l'aéroport devaient être nombreux.

Musique militaire, tapis rouge, impressions de voyages livrées en souriant à ses ministres agglutinés autour de lui, déclaration devant les caméras de la télévision, le Président allait gagner sa voiture lorsque Pollux réussit à lui glisser qu'il avait à lui parler d'urgence.

« Montez avec moi... », dit le Président.

C'est en voiture que Pollux le mit au courant.

*

Herbert fit des reproches à Pierre. Quelle imprudence d'aller lui-même rapporter ce portefeuille au lieu de l'envoyer par la poste ! Et sans le prévenir ! Qu'espérait-il ?

Pierre voulait voir la tête de la femme qui tenait à la lettre. Il avait été déçu. Il ne l'imaginait pas comme ça.

« Mais ce n'est sûrement pas elle, mon cher garçon, dit Herbert. Vous pensez bien que j'ai vérifié. La personne que vous avez vue doit être la secrétaire particulière du Ministre et elle a plus de cinquante ans. Vous êtes resté longtemps ? Elle pourrait vous reconnaître... Je n'aime pas ça. »

Il avait monté six étages pour venir chercher Pierre parce qu'il voulait voir où le cher garçon habitait. Faute de siège, il s'assit sur le lit, qui s'inclina.

« C'est le pied, dit Pierre. Il a l'habitude. Attendez, je vais arranger ça. »

Herbert se leva, encombrant de sa personne toute la surface de la pièce et considéra d'un regard affligé les efforts de Pierre pour remettre le sommier en équilibre sur son pied défaillant.

« Je vois deux solutions, dit-il. Enlever les trois autres pieds, ou trouver une chambre décente. Je vais m'en occuper. En attendant, essayez ceci... »

Il sortit de sa serviette deux livres, dont Pierre se servit comme d'une cale. Mais au lieu de se relever, le jeune homme restait accroupi, fixant le sol. Le portefeuille rouge, c'était là qu'il l'avait trouvé. Tombé du dernier sac dérobé, évidemment.

Il avait encore dans l'œil l'endroit précis où il s'était dissimulé, rue de Grenelle, attendant que passe à sa hauteur une silhouette noire dont les talons claquaient sur le trottoir, et des yeux clairs épouvantés lorsque...

« Eh bien, mon cher garçon, dit Herbert, à quoi pensez-vous ? »

Il consulta sa montre. Douze heures quarante-cinq... A cette heure, le Président devait être informé qu'« on » avait substitué au précieux document un papier assorti d'une formule limpide, au moins pour lui, signifiant qu'« on » détenait le document.

« Allons bavarder dans un endroit plus accueillant, dit-il. Non, ne mettez pas votre blouson, il va tenir dans ma serviette, je me chargerai de le faire disparaître.

— Mais je n'en ai pas d'autre ! dit Pierre.

— Nous irons en acheter un tout à l'heure. Si la personne que vous avez vue est interrogée sur votre signalement, inutile de vous faire repérer par des détails vestimentaires. »

*

Claire sortait d'une réunion de travail harassante. La firme qui éditait sa collection de linge de maison souhaitait la vendre sous licence à une entreprise japonaise qui en fabriquerait les séries sur place. Discuter avec des Japonais ne ressemble à rien d'analogue, que les interlocuteurs soient espagnols, suédois, américains ou même soviétiques. Claire avait découvert, une année où elle s'était chargée de décorer un grand hôtel de Moscou entièrement équipé de matériel venu de France, que cette espèce un peu particulière, certes, ressemblait étrangement, dans les rapports personnels, aux Russes blancs qu'elle avait connus à Paris.

Avec les Japonais, outre qu'il fallait toujours s'entretenir par interprète interposé, les heures passaient sans qu'il soit possible d'obtenir un « oui » ou un « non ».

Elle devait déjeuner avec sa petite équipe de collaboratrices, avant de reprendre, dans l'après-midi, la discussion. L'une d'elles lui dit :

« Le président de la République t'a demandée au téléphone. J'ai répondu que tu étais en conférence avec le prince de Galles. Il y a vraiment des gens qui ont le goût des plaisanteries stupides.

– C'est un dingue qui appelle aussi chez moi », dit Claire préoccupée.

Absorbée par ses Japonais, elle avait été distraite de son entrevue matinale avec Pollux mais il était évident qu'un nouvel engrenage était enclenché. Il fallait qu'elle prenne le temps de réfléchir à ce qu'elle voulait.

Savoir ce que l'on veut, c'est la seule chose véritablement difficile, lui avait appris son père. Tout le reste vient de surcroît. Le malheur vient de ce que l'on veut simultanément des choses contradictoires. Quand elle était enfant, il lui donnait en exemple sa mère, se bourrant de chocolats en même temps qu'elle prétendait perdre du poids. Plus tard, il avait raffiné son enseignement, l'initiant à quelques ruses de l'inconscient, les plus banales. Elle n'avait jamais oublié ces leçons de vie mais savait combien il est difficile de connaître ou de reconnaître la réalité de son désir.

Que Castor ait excipé de son titre pour obtenir qu'on la dérange l'indisposait contre lui. Croyait-il l'impressionner, je sonne tu accours ?

En fait, c'est la personne répondant : « Elle est en conférence, qui la demande ? » que la secrétaire du Président avait espéré impressionner, sommée qu'elle était par Castor de trouver Claire sur l'heure.

Car l'alerte, cette fois, était sérieuse. Si sérieuse que le Président prit immédiatement deux décisions également désagréables : éclairer Pollux, ulcéré, qui était au bord de lui donner sa démission, et prévenir son épouse avant que le mystérieux détenteur de la lettre ne s'en charge. Castor ne reculait jamais devant une décision nécessaire, mais celle-ci n'était pas la plus plaisante qu'il ait eu à mettre en œuvre.

Il le fit comme il convenait, c'est-à-dire avec brutalité. La Présidente le vit apparaître, à la fin de l'après-midi, appuyé sur sa canne, dans les appartements vert d'eau qu'elle occupait à l'Elysée, et annoncer :

« J'ai à vous parler. Bonjour. Asseyez-vous. J'ai quelque part, je ne sais où, un fils naturel d'une femme que j'ai beaucoup aimée. Je vous avais promis que cela n'arriverait jamais, et j'ai rompu avec cette femme. C'était il y a une dizaine d'années. L'enfant ne porte pas mon nom, je ne l'ai jamais vu, et personne ne connaît son existence que j'avais moi-même oubliée. Plus exactement, personne ne la connaissait ou ne la soupçonnait jusqu'à ce qu'une lettre vieille de dix ans tombe entre des mains ennemies dans des conditions que je vous raconterai un autre jour. Puisqu'il y a un risque que vous en soyez informée, j'ai voulu que ce soit de mon fait. Ne pleurez pas. Nous sommes vieux maintenant, vous et moi. Quoi qu'il arrive, je compte que nous ferons face ensemble. »

Il lui prit la main, y posa ses lèvres et repartit comme il était venu.

Bien qu'il se fût interdit de boire depuis plusieurs années, en rejoignant son bureau il réclama un whisky sur la glace, puis reçut à l'heure prévue l'ambassadeur d'U.R.S.S.

Avec Pollux, les choses avaient été à la fois plus faciles et plus pénibles. Quand Castor avait dit : « Claire a eu un enfant... » Pollux avait demandé de qui.

« Comment de qui ? De moi ! » dit Castor agacé.

Et Pollux, manifestement blessé par la défiance dont il avait jusque-là fait l'objet, dit :

« Pour la suite de cette affaire, Monsieur le Président, vous donnerez vos instructions à mon successeur.

– Votre successeur sera désigné quand je le jugerai souhaitable, dit Castor. Jusque-là, j'attends que vous fassiez votre devoir, Monsieur le Ministre de l'Intérieur, et votre devoir, votre devoir étroit est de protéger le chef de l'Etat, dois-je vous le rappeler ? »

Le plus dur avait été d'avouer. Car Pollux ne comprenait pas. Un enfant naturel, disait-il, ce n'est pas un crime. Que pouvait-on reprocher au Président ? De ne pas l'avoir exhibé ? Ce genre de paternité ne prête pas à publicité. Castor avait dû donner des détails, expliquer pourquoi et en quoi la lettre de Tokyo était désastreuse pour lui, citer une phrase « terrible, disait-il, terrible... ». Bref, il avait fait une faute, ce qu'il n'aimait pas à reconnaître mais qu'il savait reconnaître cependant lorsqu'il en commettait, et ce n'était pas la moins originale de ses capacités.

De son épouse, il était sûr. Divorcer maintenant n'aurait plus de sens. De surcroît, on ne lui parlait jamais en vain de l'intérêt national. Mais comment obtenir de Claire qu'elle accepte de faire face, elle aussi, dans l'hypothèse où le document sortirait dans la presse ?

« Qu'entendez-vous par faire face ? dit Pollux.

– Je vous le dirai le moment venu », dit Castor.

Pollux dit qu'il avait revu Claire et qu'elle avait beaucoup, beaucoup changé.

« S'il le faut, nous lui ferons peur », dit Castor.

Mais les choses n'en étaient pas là et il fallait s'employer à ce qu'elles n'y arrivent pas. Néanmoins...

« Cet enfant, où est-il ? dit Castor.

– J'ignorais qu'il y eût enfant, dit Pollux, pincé. Pourquoi saurais-je où il est ? »

En fait, il commençait à s'en douter.

« Informez-vous », dit Castor.

Pollux indiqua qu'il avait identifié et placé sous surveillance le journaliste dont la phrase avait été utilisée.

« Pourquoi pas, dit Castor. Mais ce serait trop simple qu'il y ait connivence. Vous sous-estimez toujours l'adversaire, Monsieur le Ministre de l'Intérieur. »

*

En rentrant chez elle, Claire trouva sur son répondeur un message la priant de rappeler le Président à un numéro qu'elle ne connaissait pas. Elle en conclut que sa ligne n'était pas écoutée et en profita pour téléphoner à Mike, ce qu'elle ne faisait plus que de l'extérieur. Il allait bien, le temps était beau, son équipe avait gagné le match de football, quand la reverrait-il, la jument des Hoffmann avait eu son poulain.

Elle rebrancha le répondeur et se déshabilla pour prendre un bain. On sonnait à la porte. Elle ferma le robinet et enfila une robe de chambre. Son vieil ami l'avocat avait promis de passer chez elle quand il en aurait terminé avec ses clients. Elle voulait le consulter sur quelques points avant de revoir Castor, puisqu'il paraissait évident qu'elle serait obligée de le revoir.

Il arrivait exténué, et ils rirent ensemble de se trouver dans cet état second des fins de journée où, à s'asseoir, on risque de ne plus avoir l'énergie de se relever. Beau-Chat, qui aimait le visiteur, vint élire domicile sur ses genoux, tandis que, dans un suprême effort, Claire expulsait des glaçons de leur alvéole et apportait sur la table basse de marbre blanc les deux tranches de jambon qu'elle avait achetées en rentrant.

« Je n'ai pas le courage de te faire de la cuisine, dit-elle.

– Moi, je n'aurai pas le courage de la manger, dit-il. Pourquoi est-ce qu'on se crève comme ça ? Tu permets ? »

Il enleva sa veste, desserra le nœud de sa cravate et s'étendit sur le canapé.

Elle voulait vérifier auprès de lui deux points. Un : les droits d'une femme sur son enfant déclaré de père inconnu, au cas où celui-ci ou tout autre le reconnaîtrait postérieurement. Deux : la nationalité d'un enfant né aux Etats-Unis de mère française.

« Tu as l'intention d'avoir un enfant, ma douce ? Dépê-

65

che-toi, dit-il. Et si tu as besoin d'un candidat à la paternité, tu m'appelles. J'en ai marre de la vie que je mène. »

Elle jura d'y penser mais, en l'occurrence, elle se renseignait pour une amie qui, que. Elle se leva pour tirer les rideaux qu'elle avait oublié de fermer.

Allez savoir pourquoi, fatiguée comme elle était, au lieu de rejoindre son fauteuil, elle vint s'asseoir sur le canapé où il s'était étendu. Pourquoi, fatigué comme il était, il glissa sa main entre les pans de la robe de chambre écossaise et caressa doucement la cuisse nue de Claire. Pourquoi, au lieu de serrer les jambes, elle lui permit de les écarter, pourquoi il dénoua de l'autre main sa cravate et la jeta par-dessus le canapé, pourquoi la main de Claire déboutonna la chemise bleue, pourquoi Beau-Chat sauta par terre, bref, allez savoir pourquoi, fatigués comme ils étaient, et pas lavés, et n'ayant nullement prémédité de se rencontrer sur ce canapé, ils glissèrent dans une volupté hélas imparfaitement partagée.

Il était plus de onze heures lorsqu'elle rappela Castor au numéro indiqué. C'est lui qui répondit.

« Il serait hautement souhaitable que je te voie, dit-il. Demain c'est impossible; après-demain, à trois heures quinze, je serai chez toi.

— Malheureusement, moi je n'y serai pas, dit Claire. A six heures, si tu veux. »

Il faillit le prendre mal, mais se souvint que le moment n'était pas le mieux choisi, dit simplement : « Bien, très bien » et raccrocha.

*

Le lendemain, un motard casqué et lunetté déposait, au poste de garde de l'Elysée, une boîte oblongue entourée d'un papier blanc et noir portant la marque d'une bonne maison. Un cadeau pour le Président.

Examinée et jugée inoffensive, la boîte fut remise au

secrétariat particulier. Le jour suivant, la secrétaire la joignit au dossier personnel qu'elle remettait chaque matin à son patron. Elle l'avait démaillotée la veille du papier qui l'entourait : le Président avait horreur d'ouvrir quelque paquet que ce soit.

« Qu'est-ce que c'est que ça ? demanda-t-il.

– Un cadeau, Monsieur le Président. »

Elle souleva le couvercle de carton, écarta le papier de soie et resta ébaubie.

« Eh bien ? » dit le Président, levant les yeux de son dossier.

Elle sortit de la boîte une brassière de bébé.

« Donnez-moi ça, dit le Président impavide. Je sais de quoi il s'agit. Non, n'emportez pas la boîte... »

Il mit le tout dans le tiroir de son bureau et acheva sa lecture. Quand il fut seul, le Président examina soigneusement l'objet et son contenant. Aucune indication d'origine.

Il rappela sa secrétaire.

« D'où vient ce cadeau ? dit-il. Il n'est pas arrivé dans un sachet, un papier, que sais-je ? »

Si. Mais la secrétaire avait jeté le papier.

« Retrouvez-le », ordonna le Président.

Elle confessa que c'était impossible. Elle l'avait mis la veille dans la corbeille qui détruisait elle-même son contenu.

Le papier ne portait pas une marque ? Si. Elle se souvenait. Le marque d'une épicerie de luxe.

Le Président la congédia, décrocha le téléphone par lequel il pouvait appeler directement, en formant trois chiffres, tous les membres du gouvernement, outre le gouverneur de la Banque de France, le préfet de Police, les chefs d'Etat-major et autres personnages de haut rang. Le ministre de l'Intérieur répondit lui-même.

« Une question, dit le Président. Est-ce qu'on vend de la layette chez Hédiard ?

– J'ai mal compris, Monsieur le Président, dit Pollux. Pouvez-vous répéter ? De la layette chez Hédiard... Pour bébé... J'en doute, Monsieur le Président.

– Moi aussi, dit le Président. Mais faites vérifier. Je vous expliquerai. »

Pollux resta un instant perplexe, et appela sa secrétaire.

« Vous connaissez le magasin Hédiard ?

– Lequel, monsieur le ministre ?

– Il y en a plusieurs ?

– Oui, trois ou quatre dans Paris.

– Y en a-t-il un, selon vous, qui vendrait de la layette ?

– De la layette ! »

Elle réfléchit un instant.

« C'est un fruit exotique ?

– De la layette, répéta Pollux, impatienté. Des vêtements pour bébé. »

Et comme elle le regardait, ahurie :

« Vous ne savez pas ? Bon. Prenez mon chauffeur, faites le tour de tous les magasins de ce nom, et rapportez-moi la réponse avant onze heures. »

*

Cette fois Herbert jubilait. L'idée était de Pierre mais elle avait été soigneusement réalisée. Herbert avait fait acheter une brassière dans un quelconque magasin par sa secrétaire, prétextant un cadeau à faire.

Il s'était offert une boîte de marrons glacés – sa folie ! – chez Hédiard.

Pierre, méconnaissable sous l'équipement classique de motard, s'était chargé de la livraison.

« Il ne me manque que la moto ! » avait dit Pierre.

Et Herbert avait chargé le coursier qu'il employait d'en trouver une d'occasion.

« Vous me la paierez plus tard, avait-il dit à Pierre. Ou je retiendrai cela sur vos futures piges. N'importe. »

Décidément, il aimait ce garçon. A dire vrai, Herbert n'aimait que les garçons, platoniquement depuis que... Mais on racontera cela ailleurs, ou peut-être pas. Toujours est-il que depuis ce depuis, il était, de ce côté-là, aussi invulnérable que du côté de sa comptabilité. Cela n'empêchait pas les sentiments et, dans les rares occasions où il lui arrivait de les éprouver, il se sentait d'autant plus libre de les manifester.

Quant à Pierre, il avait trouvé dans l'affection que lui témoignait le gros homme une diversion non négligeable à sa solitude du moment. Il n'était pas aveugle à ce qu'Herbert avait de trouble, mais ce trouble se composait de tant d'éléments qu'il ne cherchait pas à les discerner les uns des autres.

Un jour où la secrétaire multilingue avait échangé devant lui quelques mots avec Herbert dans une langue inconnue, il avait demandé :

« D'où sort-elle cette bonne femme ?

– D'un camp de concentration, dit Herbert. Elle est agrégée en sciences économiques, son père était ambassadeur... Il faut toujours employer des réfugiés politiques. Ils ont généralement des compétences qui les mettraient à votre place s'ils travaillaient dans leur pays, on peut les payer moitié prix et ils ne sont pas syndiqués. »

Pierre s'était indigné.

« C'est horrible ce que vous dites !

– Horrible, dit Herbert en riant. D'une façon générale, je suis horrible, mon cher garçon... »

Le gros homme était, en tout cas, un compagnon plein de ressources.

Ils étaient assis, dans son bureau, piochant à tour de rôle dans les marrons glacés.

« Vous croyez que les flics vont essayer de remonter la filière de la brassière ? demanda Pierre.

– S'il s'agissait d'une affaire criminelle, oui, dit Herbert. Et ils seraient capables d'y arriver. Mais je doute qu'il se serve d'eux maintenant. Envoyer une brassière au président de la République n'est pas un délit. Et il n'est pas sûr de sa police. Il va chercher autre chose. »

La photo du Président remettant une décoration dans la cour des Invalides ornait l'un des journaux éparpillés sur le bureau.

« Quand je pense qu'il a fait ça avec ma brassière dans sa poche, ça me fait jouir, dit Pierre.

– Moi aussi, dit Herbert. Et ces choses-là sont si rares qu'il faut en profiter. Vous avez une idée pour la prochaine fois ?

– J'en aurai, dit Pierre. Il m'inspire ce mec, tellement je ne l'aime pas.

– Moi, il ne me déplaît pas, dit Herbert. Je dirai même qu'il fait bien son métier. Si vous vous intéressiez davantage à la politique étrangère, vous en seriez convaincu. Mais ce qui m'amuse, c'est le jeu. Quand on a souvent été la souris, c'est délicieux d'être le chat. »

Il avait sa *Lettre H* à boucler et pria Pierre de l'excuser.

« Nous dînons demain ? dit-il.

– Demain, je ne peux pas, dit Pierre. Je suis pris. »

Herbert voulut savoir par qui. Pierre le lui dit.

« L'éditeur ? Il vous a proposé du travail ?

– Oui. Un gros livre à traduire de l'allemand. »

Pierre avait fait un essai trois mois plus tôt, dont il n'avait plus entendu parler. Et maintenant, l'affaire semblait marcher.

« Ne vous faites pas rouler, dit Herbert. Je le connais, il paie mal. Montrez-moi votre contrat avant de le signer. »

Ils convinrent de se retrouver le surlendemain au nouveau restaurant chinois des Champs-Elysées.

« Je vous signale que le vieil Herbert est jaloux de ses collaborateurs, dit le gros homme.

– J'ai envie de faire un boulot convenable, dit Pierre.

Allez, salut. Et à mercredi, nous avons encore beaucoup de choses à faire ensemble. »

Il remit son casque et, tandis qu'il fermait la porte, entendit Herbert crier :

« Soyez prudent sur votre machine ! »

*

Castor connaissait les femmes moins qu'il ne l'imaginait, si nombreuse qu'ait été sa pratique, mais il connaissait Claire. Sa méfiance, qui pouvait devenir délirante à la faveur d'un incident mineur, avait un moment aveuglé son intelligence mais, s'agissant de Claire, il en avait recouvré le plein emploi.

Pendant dix ans, il avait censuré jusqu'au souvenir de la jeune femme, puissamment aidé dans cette entreprise par ce désir du pouvoir qui mobilisait tout son être. La perspective d'y atteindre s'était éloignée au moment où il s'était cru en position de le conquérir et il avait eu le sang-froid de n'y point poser prématurément sa candidature. Puis des circonstances inattendues s'étaient présentées qu'il avait su saisir, et la fonction l'avait absorbé. Ce lecteur de Shakespeare aurait pu dire alors, comme l'un des Henri du poète : « Comment j'acquis la couronne, ah ! Dieu me pardonne ! » Mais vient toujours le moment où ce qui est atteint est détruit ou pour le moins décoloré.

Au faîte de la puissance dans son pays, il avait pris la mesure de son impuissance.

Les hommes se courbaient devant lui et, parce qu'il n'était pas meilleur qu'un autre, il en jouissait.

Mais les choses, elles, ne pliaient pas ou si peu. Ce qui lui résistait n'avait ni nom ni visage. Une pâte molle où les doigts s'engluaient sans parvenir à la modeler. Une multiplicité de petits obstacles dressés insidieusement devant les grandes décisions. Maître du verbe mais sans administration ni services, sans prise au niveau de l'exécution, son bilan, après cinq ans de règne, ne lui paraissait pas dérisoire, loin de là. Certaines actions avaient exigé du courage dont il ne manquait pas, d'autres de la ruse dont il était pourvu. Mais sur la plupart des points, la distance entre ce qui avait été accompli et les projets qu'il avait nourris lui semblait maintenant irréductible lorsqu'il osait y penser.

Et il avait le temps d'y penser.

Sa disponibilité était sensiblement plus grande, les heures consacrées à la lecture et à la réflexion beaucoup plus nombreuses qu'à l'époque où il était tout entier tendu vers la domination de son parti et la conquête du pouvoir. Son esprit s'exerçait désormais sur deux plans. L'un où il s'agissait d'épouser l'événement. Alors, il savait, comme autrefois, réagir, trancher, mentir, prévoir, conduire en un mot l'affaire dont il avait la charge. La mécanique de la décision et du commandement était intacte et ne donnait aucun signe de désarroi. Mais il avait eu de la fonction qu'il occupait une idée trop haute pour se satisfaire de n'y rien faire, en définitive, dont l'Histoire garderait l'empreinte.

Et quand sa réflexion l'entraînait hors des sentiers du quotidien, qu'elle s'appliquait à l'état de la société telle qu'il la voyait, elle l'induisait au pessimisme, disposition nouvelle chez lui.

Un jour, ses familiers l'entendaient assurer que la très grande majorité des hommes et des femmes étaient intéressés de manière incorrigible à l'amélioration de leurs conditions de vie. Un autre jour, il déclarait que, une fois ses besoins élémentaires satisfaits, l'homme ne saurait vivre privé de sacré et que son malheur présent était de ne plus savoir où le mettre. Il lui arrivait aussi d'expliquer, entre des œufs en meurette et une selle d'agneau braisée arrosée d'un château-petrus, que dans un délai indéterminé, l'Europe en général et la France en particulier seraient largement infiltrées par une population colorée qui ne continuerait pas à crever de misère chez elle sachant les buffets pleins ailleurs. C'était la version « invasion pacifique et

non délibérée par accumulation d'actes individuels »,
d'autant plus irrésistible selon lui.

Bref, il s'était mis à philosopher, déclin de l'Occident et
tutti quanti. Discourant un jour sur la jeunesse, par nécessité, et la flattant par démagogie, une vague de murmures
l'avertit qu'il n'était pas au diapason de son auditoire.
Abandonnant le texte préparé, il avait alors repris la salle
par l'une de ces improvisations truffées de formules dont
le brio masquait le creux. Mais son exercice d'acrobatie
réussi, il avait eu vivement conscience d'ignorer la jeunesse de son temps, de n'en connaître aucun représentant,
de ne comprendre ni sa morale, ni ses attentes, ni ses
dégoûts. Ni, d'ailleurs – mais c'était accessoire – son vocabulaire.

En rentrant, il avait interrogé son chauffeur. Répondant
à ses questions, celui-ci l'avait un peu rassuré en racontant
que son fils préparait Polytechnique et ne lui donnait que
des satisfactions, comme sa fille, d'ailleurs. Mais répondant aux mêmes questions, celui de ses conseillers qui
l'accompagnait s'était montré si évasif que le Président
avait vivement changé de sujet, se rappelant un peu tard
ce que son épouse, toujours elle, lui avait rapporté sur la
descendance turbulente de cet honorable membre de la
Cour des comptes.

Il demanda qu'on lui organise un « déjeuner de
jeunes ». Soigneusement sélectionnés, comme les vieilles
dames quand il avait voulu rencontrer des vieilles dames,
et les médecins quand il avait jugé souhaitable d'en prier à
sa table, huit garçons et deux filles furent nourris et pho-
tographiés sans qu'il parvienne à leur arracher un cri, une
indignation, une remarque inattendue.

En regagnant son bureau, il dit à son conseiller :

« C'est ça, la jeunesse de France ?

– C'est ça aussi, Monsieur le Président, lui répondit,
non sans discernement, un homme qui en avait une tout
autre à domicile.

– Moi, à leur âge... », commença-t-il.

À leur âge, pour lui, c'était la guerre. Il ne manquait plus que ça, qu'il se mette à dire : « De mon temps... »

« À leur âge, dit-il, moi aussi j'aurais été impressionné. »

Mais il s'était senti soudain vieux. La guerre ? Elle reviendrait. Secrètement, fugitivement, il désespérait du pouvoir de la culture sur les instincts, donc de la civilisation, bien que, publiquement, il en fît grand cas.

Castor filait, en somme, un mauvais coton. Le soutenait seulement la haine qu'il vouait à celui qui, dans son propre parti, se préparait à lui succéder, rival abhorré, et celle que ce dernier lui vouait en retour. On ne hait bien que les siens. En d'autres temps, chacun des deux se fût mis en devoir de faire assassiner l'autre. Maintenant, il fallait employer des moyens plus sophistiqués à effet plus lent.

Castor y consacrait une partie non négligeable de son activité, lorsque Claire avait resurgi, et avec elle l'affaire du portefeuille rouge. De la thèse du complot, fomenté par l'opposition, il était passé à celle de l'anarchiste, manipulé par son successeur potentiel, un homme pressé.

Il arriva donc chez Claire, décidé à obtenir sa solidarité de fait, si, par malheur, *la* lettre explosait dans un journal complaisant.

*

Cette fois, quand elle lui ouvrit la porte, elle se laissa embrasser, mais négligemment, comme si cela eût été désormais sans risque et il en eut aussitôt l'intuition. Il lui fit compliment sur sa beauté, accepta le verre que, machinalement, elle lui proposait, l'interrogea sur son métier, admira l'aménagement ingénieux de l'appartement qu'il avait connu... Tu te souviens ?

Elle répondit gaiement, pelotonnée sur le canapé, Beau-Chat dans son giron, ronronnant sous la main qui le caressait.

Castor la sentant armée contre sa manœuvre d'enveloppement chercha le point sensible.

« Parle-moi un peu de lui.

– De qui ? demanda Claire.

– De ton enfant. »

Il n'avait jamais reçu de l'existence d'un fils qu'un signe : une phrase tracée de la main de Claire, non signée, tirée du *Roi Lear :* « Dieux ! Tenez pour les bâtards ! » Ainsi lui en avait-elle annoncé la naissance.

« Il ne vit pas avec toi ?

– Non, dit Claire.

– Comment s'appelle-t-il ?

– Comme moi, dit Claire.

– Comment est-il ?

– Il est grand et beau.

– Alors il te ressemble.

– Il te ressemble aussi.

– Tu n'as pas une photo ?

– Non, dit Claire.

– Bien, dit Castor. Très bien. »

Il la regarda, les yeux mi-clos, comme Beau-Chat, pensa-t-elle, lorsqu'il s'apprête à sauter pour saisir un oiseau, et esquissa une grimace de douleur.

« Tu n'aurais pas une aspirine ? dit-il. Je souffre de ma jambe depuis quelque temps. »

Un aveu qui n'avait jamais franchi ses lèvres. Amorçait-il la comédie de l'attendrissement ?

« C'est embêtant dans ton métier », dit-elle en se levant pour aller chercher un cachet et de l'eau fraîche.

Le mot « métier » avait toujours été rejeté par Castor. Il disait « ma fonction » ou « ma mission ».

En revenant, elle effleura la tempe de Castor de ses lèvres en disant : « Mon pauvre vieux... » Cette fois, il fallut tout l'empire qu'il avait sur lui-même pour ne pas broncher.

« Bien, dit-il. Tu sais où nous en sommes. »

Elle ne connaissait pas l'épisode de la brassière qu'il raconta rapidement.

« Je ferai répandre le bruit que je suis affecté par un courrier inamical, dit-il. Cela les encouragera peut-être à poursuivre tout simplement leurs plaisanteries stupides si, comme je le crois, il n'y a pas de plan délibéré là-dessous. Mais il ne faut pas se dissimuler qu'il y a un risque de publication. Dans ce cas, que ferais-tu ?

– Moi ? dit Claire. Rien. Pourquoi ?

– Parce que l'on cherchera à qui j'ai pu écrire et que l'on trouvera. Nos relations ont été discrètes mais pas complètement ignorées. Et il est facile de repérer à quel moment j'ai voyagé au Japon. »

Claire dit qu'elle avait tout fait et au-delà pour que rien de tel ne se produise jamais, qu'elle avait résolu de dévoiler elle-même, le jour venu, à son fils les conditions de sa naissance, que c'était la raison qui l'avait conduite à garder la fameuse lettre mais que, soit... s'il fallait subir l'épreuve de la vérité rendue publique, elle la subirait.

Tous les arguments, Castor les développa, pour tenter de la persuader qu'il fallait impérativement renoncer à pareille attitude et choisir de nier, farouchement. Il se chargerait, lui, de faire croire à une falsification, une imitation de son écriture, une manœuvre montée contre lui, il n'était pas précisément sans moyens et tout cela finirait en bouillie pour les chats comme toujours ces histoires à condition que l'on sache les maîtriser.

Non, disait Claire, non. Elle n'avait aucune disposition pour le scandale, et même elle frémissait à l'idée d'en faire l'objet, plus encore d'y mêler son fils. Mais, pour lui, si scandale il y avait, la vérité était la moins mauvaise issue.

Quand Castor invoqua l'intérêt national, le cadeau fait à l'opposition ou, au mieux à ce cobra qui, dans son propre parti... elle le dérouta en répondant qu'elle n'y était pas insensible. Seulement, sa responsabilité, à elle, c'était son garçon.

Il avait plaidé près d'une heure quand il lui dit : « Tu me rappelles Brejnev... » Ce qui la fit rire.

Le téléphone sonna, c'était la secrétaire de Castor. Pendant qu'il prenait la communication, Claire se ressaisit. Elle se donnait depuis une heure le plaisir inédit, succulent, de résister à Castor, d'éprouver qu'elle pouvait lui résister même lorsqu'il était en face d'elle, regardant sa bouche pendant qu'elle parlait, même lorsqu'il disait : « J'ai besoin de toi... » Elle jouait à lui montrer qu'elle était décastorisée. Mais il faut savoir ce que l'on veut. Elle ne pouvait pas le blesser sans le rendre dangereux. Implacable comme il savait être, comme il était quand il n'était plus sûr d'être aimé, préféré.

Elle était si tendue qu'elle ne l'entendit pas raccrocher le téléphone et revenir vers elle. Lorsqu'il la prit par les épaules, elle sursauta :

« Je voudrais tellement te convaincre..., dit-il.

– Essaie encore un peu, dit Claire. Je suis si heureuse de te voir... »

Alors il fit vibrer la dernière corde.

« Si tu es coopérative, dit-il, il va de soi que, lorsque je pourrai le faire sans porter ombre à la fonction que j'occupe, c'est-à-dire à notre pays, je reconnaîtrai cet enfant. Je lui donnerai mon nom.

– Il te dira peut-être qu'il n'a rien à en faire, de ton nom. Ou peut-être pas, comment savoir ? Je veux qu'il soit libre de juger, de nous juger l'un et l'autre. »

Il demanda si elle le jugeait mal. Elle ? Non. Avec elle, il n'avait jamais triché ni menti. Mais elle non plus, avec lui. Il demanda ce qu'elle comptait faire de ce garçon dont elle semblait fière.

« Ce qu'il voudra, dit Claire. J'espère seulement qu'il voudra ce qu'il pourra, et inversement.

– Il travaille bien en classe ? » demanda Castor.

Claire fut amusée par cette question si admirablement française.

« Il est heureux, dit-elle, c'est l'essentiel, heureux et intelligent. »

Castor dit qu'il n'en était pas persuadé, que les grands hommes n'ont jamais été des enfants heureux, comme l'avait déclaré, en meilleurs termes, Churchill. Claire répondit qu'elle n'avait nullement envie d'avoir un grand homme pour fils et qu'en tout état de cause elle voulait dire que l'enfant était gai, bien portant, indocile ce qu'il fallait, sans aucun trouble apparent de caractère ou de comportement et que, pour le reste, sa situation d'origine lui avait certainement fourni pour l'avenir toutes les névroses souhaitables ou regrettables.

Castor releva le mot « névrose » qu'il n'aimait pas. Elle le plaisanta en disant que, pour un lecteur de Shakespeare, comme lui, il était temps qu'il applique de bonnes grilles de déchiffrement aux conduites humaines, sans ça il mourrait idiot, et elle chercha dans le fouillis de ses livres un texte sur *Hamlet,* qui l'avait frappée.

Alors que leur première entrevue avait été si raide, et le début de cette conversation si laborieux, Castor en fut bientôt à lui parler de l'incapacité du Premier Ministre à expliquer au pays la politique du gouvernement, et Claire à lui dire : « Tu devrais faire acheter un Diebenkorn par Beaubourg. Ils n'en ont pas ! » Il ignorait ce nom. Elle lui montra une affiche, un « Ocean Park » aux bleus et gris subtils. Il resta dubitatif.

Soudain il demanda :

« Comment vis-tu ? Tu aimes quelqu'un ? »

Elle faillit répondre qu'il avait ses flics pour le renseigner mais dit seulement :

« Pas vraiment. Je n'ai pas le temps, ou pas envie, peut-être. Il faut aussi avoir envie. Et toi ?

– Moi... »

Il sourit.

« Je me demande si j'ai jamais su. »

Il embrassa Claire affectueusement :

78

« Merci. Ce moment a été bien doux. Réfléchis à ce que je t'ai dit et nous nous reverrons. N'est-ce pas ? »

Elle promit de réfléchir.

Castor repartit, assez content de lui, pas entièrement cependant. La partie n'était pas gagnée. Mais la perspective de renouer avec Claire des relations, même ambiguës, lui souriait. Elle était calme, elle était gaie, il se sentait bien chez elle. Pourquoi y a-t-il si peu de femmes calmes et gaies ?

Celle qui l'attendait pour dîner avait, il est vrai, d'autres attraits, mais toujours il avait aimé la conquête plus que l'objet. Et c'était Claire que, d'une autre façon, il fallait maintenant reconquérir.

Claire n'était pas, non plus, mécontente d'elle. Revoir Castor en position de demandeur n'était pas déplaisant. Et elle avait eu du sang-froid.

Dans une petite boîte noire, innocente parmi les objets dont elle avait encombré la table de marbre, se trouvait enregistrée une bonne partie des propos de Castor. Ceux, en tout cas, qui seraient plus tard de nature à être écoutés par Mike, si l'affaire de *la* lettre tournait mal.

Les Japonais avaient parfois du bon. Elle réenroula la bande, vérifia que l'enregistrement avait bien eu lieu, sortit de sa boîte la cassette miniature. Cette fois, gardée dans le coffre qu'elle louerait à la banque dès le lendemain matin, personne ne lui déroberait ce témoignage.

Non, Castor ne connaissait pas les femmes aussi bien qu'il le croyait, même pas Claire. Et les Français de sa génération n'avaient pas encore appris à se méfier des petites boîtes noires innocentes.

*

Pendant le week-end, la permanence devait être assurée, à l'Elysée, par le secrétaire général adjoint. Dans le petit appartement composé d'une chambre et d'un salon – plafonds bas, mobilier médiocre – affecté à cet effet dans une aile du palais, au bout d'un long couloir, le permanencier avait la faculté de recevoir qui lui plaisait mais non de s'absenter fût-ce quelques secondes.

On dressait donc, dans le salon, une table ronde autour de laquelle trois ou quatre personnes se donnaient l'illusion de déjeuner ou de dîner à l'Elysée où, dans ces circonstances, la cuisine n'était pas à la hauteur de sa réputation.

Le secrétaire général adjoint était un célibataire ambitieux, froid comme un poisson, que sa famille voyait déjà, dans un proche avenir, premier ministre et qui, plus lucide, attendait en trépignant le moment où cet « adjoint » privatif disparaîtrait de son titre.

Au début, lorsque venait son tour, son plaisir avait été vif d'introduire père et mère, amis et amies dans l'antre sacré et de répondre en leur présence au téléphone où, sait-on jamais, il pouvait y avoir à l'autre bout le Kremlin, puis de raccrocher, bouche cousue et front soucieux d'un dépositaire de lourds secrets.

Mais on se lasse de tout et, ce dimanche-là, il bâillait seul, devant la télévision, lorsque le *bzz* du téléphone l'arracha, vers trois heures, à sa torpeur. Ce n'était pas le Kremlin mais c'était la Maison Blanche. Rassemblant tout son anglais acquis à grands frais à Harvard, il comprit que le Président des Etats-Unis souhaitait parler d'urgence au Président de la République française et priait celui-ci de bien vouloir entrer en communication avec lui dans le plus bref délai possible. Que ceci se passe en l'absence de tout public était navrant, mais on n'a pas toujours la chance avec soi.

Le Président déjeunait à la campagne, dans une maison amie dont l'hôtesse avait le privilège de le tutoyer, privilège qu'il n'accordait, en public, à personne depuis son élection.

Mais Gigi n'était pas n'importe qui. Il l'avait rencontrée dans un aéroport alors qu'il traversait une période noire. Ses espoirs présidentiels venaient de s'écrouler et rien ne permettait de prévoir qu'ils pourraient renaître avant longtemps. L'un de ces incidents mystérieux qui clouent les passagers d'un vol au sol pendant deux heures dans une salle d'attente sans que personne daigne jamais en donner la raison ni en annoncer la durée prévisible l'avait assis à côté de Gigi, séparé d'elle par un fauteuil où il avait posé sa serviette.

En règle générale, Castor n'aimait pas les bêtes de luxe et cette belle créature flexible, les fesses moulées dans de l'agneau glacé, portant la tête haute sur la colonne du cou, traitant avec désinvolture une fourrure qui lui parut précieuse pour autant qu'il s'y connût en fourrure, cette créature n'était pas sa tasse de thé.

Quand elle lui confia sa mallette de cuir bordeaux et le sac sous douane lourd de cigares et de whisky dont elle était encombrée, il fut surpris par les sons qu'émettait cette altière liane.

« Vous gardez un œil sur mon fourbi ? dit-elle d'une grosse voix. Il faut que j'aille essayer de téléphoner à mon jules. »

Elle revint munie d'une pile de magazines, croquant une tablette de chocolat qu'elle tendit à Castor en disant :

« Z'en voulez un bout ? C'est du blanc. On s'en ferait mourir. »

Il retira, pour lui répondre, les lunettes avec lesquelles il lisait un hebdomadaire anglais.

« Vous, dit-elle, j'ai déjà vu votre tête quelque part. »

Et comme il la regardait, amusé :

« C'est marrant... D'habitude, c'est à moi qu'on dit ça. »

Une heure plus tard, elle savait où elle avait vu la tête de son voisin – à la télé bien sûr ! –, il savait l'essentiel de la brève existence de sa voisine et aussi de son anatomie, l'un des magazines sur papier glacé qu'elle compulsait contenant une série de photos publicitaires posées par Gigi pour un grand joaillier.

Une larme de diamant entre ses seins nus, un collier

encerclant sa taille, pendentif au creux des reins, c'était le moins que pouvaient imaginer les créatifs, comme ils se nommaient, d'une nouvelle agence de publicité pour attiser les feux de bijoux sans prix, lorsqu'on en était à produire un orchestre symphonique pour vendre du papier toilette. Sous l'œil de l'objectif, vêtue ou dévêtue, Gigi était souveraine.

Castor n'eut à poser aucune question pour apprendre qu'elle était originaire d'un village du Rouergue où, par quelque fantaisie de la génétique ou d'une aïeule légère, elle avait surgi, brune au teint de nacre, longiligne immatérielle parmi cinq enfants rougeauds et courtauds.

Cocasse, avisée, la combinaison entre sa grâce diaphane, sa voix de rogomme et un appétit aussi robuste que son bon sens la rendait irrésistible. Castor n'y résista pas et joua, un temps, les amants de cœur dans la vie – et à l'occasion dans le placard à robes – de Gigi. Quand elle le congédia, ce fut fait gentiment.

« Mon loup, lui dit-elle, on s'aime bien tous les deux mais il n'y a pas d'avenir pour la petite Gigi avec toi. »

Castor en était convenu et, masque tragique, avait murmuré : « Ai-je seulement un avenir... »

Il pouvait alors en douter.

« Toi, dit Gigi, tu seras roi. Ma voyante me l'a dit. Il sera roi mais vous ne serez pas sa reine, elle m'a dit, pas plus tard qu'hier. »

Castor n'avait pas, dans les voyantes, une foi aveugle ni même éclairée. Mais dans une période de doute, cette prédiction l'avait ragaillardi. Gigi ajouta qu'il devait se méfier d'un blond aux yeux bleus qu'elle ne l'oublierait jamais et resterait toujours sa copine, il pouvait compter sur elle à la vie à la mort.

Trois ans plus tard, un chèque d'un montant substantiel parvenait au siège du Parti pour contribution aux frais de la campagne présidentielle engagée par Castor. Le nom gravé sur la carte de visite qui l'accompagnait, celui d'une grande famille d'industriels belges, était suivi d'un autre, tracé à la main entre parenthèses : Gigi.

Castor avait alors bien d'autres choses à penser. Mais après la victoire, lorsque fut soumise à sa signature une lettre de remerciement rédigée par le trésorier de la campagne, il ajouta quelques mots de sa main puis, toujours circonspect, se ravisa et attendit les résultats de la fiche d'information demandée au sujet de la donatrice.

Rien de suspect ni de louche n'y apparut. Gigi n'avait hâté la fin d'un puissant richard qu'en le conduisant à des excès délicieux. Il l'avait épousée à temps pour lui manifester sa gratitude posthume. Maintenant, elle gérait judicieusement une fortune solide dont Castor apprit avec dépit qu'elle était largement investie hors de France.

Néanmoins, le geste de Gigi méritait reconnaissance. Il la fit prier à déjeuner. Elle n'avait pas changé.

Vêtue de noir, les cheveux tirés sous un bonnet de fourrure, c'était Néfertiti en deuil d'Aménophis IV, se dit Castor lorsqu'il entra dans le salon où elle l'attendait et qu'il l'aperçut de profil, regardant le parc par la fenêtre.

« On doit te faire la révérence maintenant ? dit Gigi.

— Mais non, voyons, dit Castor. Pas la révérence.

— Alors, dit Gigi, je te fais la bise. »

Comment Gigi devint familière des dîners intimes et des projections privées organisées dans la petite salle de l'Elysée qui constituaient les rares distractions du Président, rien de plus normal. Castor lui reconnaissait la vertu cardinale à ses yeux : la fidélité. Nul doute qu'elle se fût jetée au feu pour lui. Les fidèles, il n'en avait pas manqué traversant avec lui tous les déserts, mais le propre des fidèles est qu'ils se détestent entre eux, développent une compétition possessive permanente et offrent, à tour de rôle, les symptômes d'une dépression imminente. Le fidèle est porté à gémir.

Avec Gigi, rien de tel. Elle avait le mérite rare d'être naturelle, heureuse et drôle, terrain sur lequel aucun des fidèles n'aurait pu songer à la suivre, et possédait l'exclusivité d'un franc-parler qui ne s'exerçait pas aux dépens de Castor admiré, lui, sans réserve.

Mais ni la fortune belge, ni le Breughel dans son salon, ni le jeune philosophe qui jouissait de ses faveurs et pour l'amour de qui elle finançait une revue austère n'avaient eu raison de sa bonne humeur communicative ni de son humilité face aux sujets qui n'entraient pas dans le champ de ses connaissances. Aussi, lorsqu'il en avait le loisir, Castor ne dédaignait pas de s'inviter chez elle, le dimanche, assuré de trouver à déjeuner, aimable compagnie et repos de l'esprit.

Ce dimanche-là, donc, Gigi servait le café lorsque l'appel du secrétaire général adjoint vint rompre la trêve. Castor se retira dans la bibliothèque aménagée à l'usage du jeune philosophe pour user tranquillement du téléphone. Quand il en sortit, plus de vingt minutes s'étaient écoulées; à l'Elysée le secrétaire général adjoint se dépensait pour trouver ceux des ministres avec lesquels le Président voulait immédiatement conférer.

D'un coup d'œil, Castor enveloppa le groupe gracieux que formaient Gigi et deux de ses amies pelotonnées devant la cheminée éclairée d'une haute flambée, un jeune couple alangui, main dans la main, sur un profond canapé, les volutes bleues du tapis chinois, la blouse rose de la femme de chambre emportant le plateau d'argent, les bouquets ronds, à l'anglaise, parsemant les tables.

Que tout cela était fragile ! Et menacé...

Gigi tourna la tête, l'aperçut, immobile. Il lui fit signe d'approcher.

« Je dois rentrer, dit-il. Garde-toi bien, petite. »

Elle voulut l'accompagner jusqu'à sa voiture mais il l'immobilisa d'une main dure.

De quoi fallait-il qu'elle se garde, il ne l'avait pas dit. De l'horreur du monde qui, quelque part, était une fois de plus en train de déferler et qu'il appartenait au président de la République française, parmi d'autres, de s'employer à contenir.

*

Quinze jours plus tard, la secrétaire particulière de Castor reçut une lettre dactylographiée l'engageant à inciter le Président à écouter un poste périphérique le lendemain entre dix heures et dix heures trente.

Les lettres les plus extravagantes parvenaient chaque jour à l'Elysée, dépouillées, classées, analysées par le service qui se chargeait d'y répondre. Périodiquement, où dans les périodes de crise aiguë, une synthèse du contenu des lettres dignes d'être considérées était communiquée au Président. Mais celle-ci, parce qu'elle était libellée au nom de sa secrétaire, n'avait pas suivi le circuit habituel.

Or ce nom était inconnu du public. Aussi fut-elle intriguée. En parler au Président ? On ne parle au Président que de ce qu'il est disposé à entendre, et l'accessoire l'excédait. Mais puisque, à l'heure dite, il devait inaugurer une exposition au Grand Palais, elle profita de son absence pour écouter à toutes fins utiles l'émission signalée qui s'appelait « Rendez-vous à Venise ».

Il s'agissait d'un jeu quotidien, dont le lauréat ou la lauréate gagnait un billet d'avion et un week-end à Venise. Les questions auxquelles il fallait répondre correctement avaient trait à des amants célèbres. Tout le monde échouait, ou presque, à la dernière question. Le mécanisme en était classique. Les candidats téléphonaient à la station. Leur nom et leur numéro étaient enregistrés, puis, au moment de l'émission, on les rappelait l'un après l'autre pour qu'ils puissent formuler leurs réponses sur l'antenne, à l'usage des auditeurs.

Ce matin-là, l'animateur de l'émission demanda :

« Avec qui George Sand a-t-elle passé quinze jours à Venise ? Alfred de Musset, Frédéric Chopin ou Franz Liszt ? Numéro 1, numéro 2, etc. Avec Musset ! Parfaitement ! Les numéros 4 et 7 ont donné la bonne réponse. Bravo monsieur, bravo madame, vous avez déjà gagné cent cinquante francs. Restez en ligne pour la deuxième question... Avec qui George Sand a-t-elle trompé Musset pendant le séjour à Venise ? Almaviva ? Casanova ? Pagello ? Avec Pagello, oui, monsieur, bravo monsieur ! C'est encore le numéro 4 qui a donné la bonne réponse. Cinq cents francs pour le concurrent numéro 4. Et voici la troisième question. Attention ! Après ce voyage, les Vénitiens ont baptisé George Sand la Sanseverina. Vrai ou faux ? Eh bien, c'est faux ! Le numéro 4 a donné trois bonnes réponses. Bravo monsieur, mes félicitations, vous avez gagné un rendez-vous à Venise ! Pouvez-vous nous dire qui on appelle la Sanseverina ?

– Certainement, dit le numéro 4. Mais je tiens d'abord à dire solennellement ceci : c'est un triste pays celui dont le Président n'aime pas les enfants. Le président de la République françai... »

Les candidats au « Rendez-vous à Venise » n'eurent pas le loisir d'apprendre qui était la Sanseverina. Avec un réflexe de vieux professionnel, le technicien de la cabine avait envoyé sur l'antenne le disque qui devait clore l'émission tandis que l'agitation s'emparait de ses collègues. Ce que voyant sur son écran de contrôle, le directeur de la station descendit en hâte et prit la situation en main.

Le candidat gagnant était-il encore en ligne ? Non ? Il avait raccroché. Quel nom avait-il donné ? M. Dujapon. Rappelez M. Dujapon jusqu'à ce qu'il réponde.

Il se passa une petite heure avant qu'une voix de femme dise :

« Ici, c'est un café. Qui ? M. Dujapon ? Attendez, je vais demander. »

On l'entendit crier : « On demande M. Dujapon... » Puis : « Il n'y a personne de ce nom-là. A votre service. »

Le Président déambulait à travers le Grand Palais en compagnie du ministre de la Culture, du Conservateur commentant à son intention chacune des toiles devant lesquelles il s'arrêtait, du directeur des Musées, et d'une trentaine d'invités privilégiés, suivant à distance respectueuse.

Parce que Pollux aimait la peinture, une invitation lui était automatiquement adressée lors de ces petites cérémonies que suivait immédiatement le vernissage proprement dit. Le Grand Palais était à courte distance du ministère. Ce matin-là, il avait dérobé trois quarts d'heure à une journée relativement calme pour y faire un saut.

Les connaissances du Président, vastes dans le domaine de la littérature française et étrangère, étaient nulles dans le domaine de la peinture bien que Claire eût parfois tenté de l'y intéresser. Mais il avait – on l'a dit – l'œil photographique grâce à quoi il pouvait, de temps en temps, laisser tomber un nom à bon escient. Devant quelques traits perpendiculaires inscrits dans un ovale, il dit :

« Tiens, un beau Mondrian.

– Non », dit Pollux.

Et s'approchant davantage :

« Ça doit être un Glarner. »

Le Président leva un sourcil.

« Monsieur le Conservateur, départagez-nous, dit-il. Mondrian ou... »

Il hésita et Pollux enchaîna :

« ... ou Glarner.

– Ou Glarner, comme le croit Monsieur le Ministre de l'Intérieur. »

Déchiré, le Conservateur murmura :

« Monsieur le Ministre de l'Intérieur connaît bien la peinture, Monsieur le Président. C'est un Glarner, en effet, mais un œil un peu moins exercé peut très bien s'y tromper. »

Le ministre de la Culture s'était, quant à lui, prudemment éloigné.

Le Président reprit sa marche et glissa à l'oreille de Pollux : « Je me demande ce que tu fous dans la police. »

L'embarras des uns et des autres l'avait réjoui, et c'est de bonne humeur qu'il rejoignit l'Elysée. L'y attendait la confession de sa secrétaire contrite.

Dans l'heure, deux hommes sûrs étaient détachés pour retrouver l'auteur de ce qu'on baptisa des propos incohérents, tandis que le directeur de la station était convoqué au ministère de l'Intérieur.

Dans le café, vite localisé, d'où Pierre avait téléphoné, la serveuse se trouva rapidement en train de dire qu'en effet on avait demandé un client, M. Dujapon, qu'il avait occupé la cabine téléphonique de façon prolongée, entre neuf heures quarante-cinq et dix heures trente, qu'il s'agissait d'un habitué, qu'il venait toujours seul à des heures variables, plutôt tard dans la matinée, qu'il était grand, brun, les yeux, elle ne savait pas, ni où il habitait, non il n'avait pas le type étranger, il portait un blue-jean comme tout le monde.

Après le départ des policiers qui l'avaient interrogée, elle se demanda pourquoi et comment elle avait dit ce qu'elle ne voulait pas dire. Car depuis que la petite vendeuse de la crémerie voisine s'était esclaffée, en venant chercher un café pour sa patronne : « Vous avez entendu le type qui a parlé du Président à la radio ? » et qu'on avait appelé de la station M. Dujapon, elle avait compris. Eh quoi ! ce n'était pas un criminel, ce grand garçon, le seul client de l'établissement qui lui eût jamais marqué quelque égard... Un peu dingue, comme ils sont tous, les jeunes, aujourd'hui. Qu'est-ce qu'il avait été raconter à la radio ? Des bêtises. Pas de quoi en avoir les sangs retournés. Le Président, elle n'avait rien à en faire. Si les flics rappliquaient, ils pourraient toujours courir, elle ne dirait pas un mot.

Les flics avaient rappliqué, et elle avait craqué, comme

tout le monde, parce qu'ils connaissaient leur métier. Et maintenant, elle s'inquiétait. Ces flics, on allait les avoir sur le dos, dans le quartier. Si seulement elle avait su où trouver le garçon, pour le prévenir...

Le patron du café la houspilla. C'était l'heure du coup de feu.

*

Pierre, cette fois, s'était bien amusé.

L'idée lui en était venue en prenant son café, un matin, dans le bistrot où la gentille serveuse lui gardait des croissants et écoutait parfois la radio, jusqu'à ce que le patron arrive. Comme Pierre se levait tard, le lieu était généralement peu fréquenté, avant qu'il le soit à nouveau autour de midi.

Herbert s'était récrié : dangereux, très dangereux. Puis il avait cédé, à la condition que Pierre suive rigoureusement ses consignes.

D'abord s'installer dans la chambre meublée modeste mais propre qu'il lui avait trouvée, près de chez lui, loin du quartier. Et s'astreindre à venir tous les jours prendre son café, pendant une petite semaine. Ainsi, quand la police aurait obtenu de la serveuse son signalement – mais si, mais si, elle le donnerait –, et explorerait le quartier, elle ne découvrirait pas qu'un locataire du 12, au nom bien connu de la concierge, avait précisément déménagé le jour même.

Ensuite, absurde de croire que le Président lisait son courrier. Il fallait écrire à sa secrétaire particulière. Herbert, cela va de soi, connaissait son nom.

Enfin, envoyer non pas une lettre dactylographiée mais la photocopie de cette lettre prise dans un bureau de poste. La marque de la machine pourrait être identifiée mais non la machine elle-même. Poster la lettre à Neuilly.

Où se trouvait le téléphone d'où il parlerait, au café ? Au sous-sol, bien. Le laisser décroché une fois son intervention terminée, bavarder un moment avec la serveuse en remontant et partir tranquillement en disant : « A demain ! » Au téléphone, parler à travers un mouchoir pour déformer sa voix, etc.

Pierre avait exécuté le plan à la lettre.

L'incident eut d'abord peu d'écho. La femme du secrétaire général ayant appelé son époux pour lui dire qu'elle croyait avoir entendu quelque chose d'étrange à la radio se fit fermement prier de ne pas téléphoner pour ne rien dire. Le chauffeur du Président, qui l'attendait dans sa voiture devant le Grand Palais en écoutant la radio, en fut troublé, mais resta incertain. Quant à la secrétaire, qui avait été, elle, attentive, se reprochant de n'avoir pas communiqué au Président la lettre d'avertissement, et se remémorant l'envoi de la brassière, elle hésitait sur la conduite à suivre, quand le téléphone sonna :

« Ici la maison Martial, lui dit-on. Je suis bien au secrétariat particulier de Monsieur le Président de la République ? Nous avons votre commande de dragées à livrer pour le baptême. Le livreur doit-il la laisser à l'entrée ou vous demander personnellement ?

– Des dragées, dit-elle d'une voix faible... Pour le baptême... Je vous rappellerai. »

Le coup des dragées, Pierre n'en avait pas prévenu Herbert. Il y avait pensé en passant devant une confiserie et s'étant donné ce petit plaisir supplémentaire, se réjouissait d'en faire part à son compagnon qui l'attendait.

Il le rejoignit, à l'heure où une dépêche d'agence laconique tombait sur les téléscripteurs, indiquant qu'un déséquilibré non identifié avait utilisé un jeu radiophonique pour diffuser des propos mettant en cause le Président de la République et qu'une enquête était ouverte.

« Je vous ai apporté des dragées, dit-il, et j'en ai envoyé à la secrétaire du mec. »

Herbert le regarda, découragé. Le cher garçon était décidément incontrôlable.

« Ce n'est pas vrai, dit Pierre. J'en ai seulement eu envie. »

Il raconta ce qu'il avait fait.

« A l'heure qu'il est, ils doivent être en train de passer le quartier au peigne fin, dit Herbert. Votre aimable serveuse doit vous bénir...

– Je lui enverrai des fleurs, dit Pierre.

– Mon cher garçon, dit Herbert, ne vous prenez pas pour James Bond, voulez-vous ? Pas de folie. Je suggérerais même une pause dans nos divertissements jusqu'à ce que je prenne un peu la température. »

Il fut heureux que Pierre, requis par ses travaux de traduction, acceptât sans protester de mettre son imagination au repos. Simplement, dès lors, ils se verraient moins. Et pourquoi un homme tel qu'Herbert aurait-il contribué aux exercices de voltige d'un jeune homme animé par de belles indignations morales sinon parce que ces exercices le rapprochaient du cher garçon ?

Une pause était nécessaire, mais il veillerait à ne pas la prolonger plus que la prudence ne l'exigeait.

*

Or l'affaire de la radio, après avoir fait des bulles, faisait des vagues.

Le Président avait profité d'une rencontre avec quelques représentants de la presse pour dire combien il aimait les enfants et quelle était sa tristesse de n'en avoir pas eu alors que la famille, suprême refuge de l'homme moderne dans le monde cruel où nous sommes, était son plus cher souci.

Mais les causes principales d'agitation n'étaient pas là. Abandonnant la thèse de l'anarchiste, le Président était revenu à celle d'un complot. Personne ne lui ferait croire qu'une partie du personnel de cette station de radio, « où, vous le savez bien Monsieur le Premier Ministre, je n'ai que des ennemis », ne s'était pas prêtée à l'incident. Il exigeait le départ du directeur, déclaré d'une complaisance suspecte à l'égard de la subversion. Interdiction fut notifiée aux membres du gouvernement de participer à quelque émission que ce soit diffusée sur cette antenne.

Le directeur de la station demanda audience au Premier Ministre qui le reçut aussitôt.

« Je n'y peux rien, mon pauvre ami, dit le Premier Ministre, cordial. L'interdiction ne vient pas de moi. C'est l'Autre. Cet incident ridicule l'a mis hors de lui.

— Mais qu'est-ce qu'il veut ? dit le visiteur.

— Votre peau, dit le Premier Ministre.

— Encore ! dit le visiteur. Il y a six mois, c'était à cause de...

— Que voulez-vous, dit le Premier Ministre. Votre station l'irrite. Malheureusement pour vous, c'est celle qu'il écoute, le matin, en se rasant.

— Et ça va durer longtemps, cette quarantaine ?

— Si ça dépendait de moi, dit le Premier Ministre, j'arrangerais ça tout de suite. A propos, par qui faites-vous couvrir mon voyage au Canada ? »

A l'Elysée, c'est le chef du service de presse qui reçut le directeur de la station.

« Une interdiction faite aux ministres ? Je ne sais pas de quoi vous voulez parler, dit-il. Le Président ne s'occupe pas de ces choses-là, vous pensez bien ! Voyez Matignon... »

Les rubriques d'échos se mirent à bourdonner de rumeurs relatives à un conflit aigu entre le Président et le Premier Ministre. Nul doute que tout cela se tasserait, qu'est-ce qui ne se tasse pas ? Mais l'attitude de Castor était préoccupante.

De l'enquête en cours, Pollux avait conclu que le coupable était aussi le voleur du sac de Claire. Le café dont on savait qu'il était un habitué se situait dans la rue où l'on avait retrouvé les papiers de Claire, à proximité de l'endroit où sa gourmette avait été ramassée. Selon toute vraisemblance, le même homme avait volé le sac, trouvé le portefeuille rouge et découvert son contenu. Il s'en servait maintenant aux dépens du Président dont l'écriture n'était pas un secret d'Etat même si on ne pouvait la dire connue. De surcroît, pensait Pollux, le voleur savait aussi le nom de Claire puisque les papiers de la jeune femme, son chéquier se trouvaient également dans le sac. Il pouvait fort bien avoir connaissance de la connection Claire/Castor.

Tout cela se terminerait, pensait-il, par une tentative de chantage.

Castor, en revanche, était maintenant persuadé qu'un réseau d'ennemis se préparait à rendre public le document qui le mettrait en difficulté, et sommait Pollux de retrouver son fils, « pour tenir Claire », disait-il, si elle se montrait indocile.

Or la conviction de Pollux était faite : Claire cachait l'enfant quelque part aux Etats-Unis, où il le retrouverait pour peu qu'il le veuille. Pour l'instant, il ne voulait pas. Il ne connaissait pas Castor depuis trente ans sans le savoir capable de tout.

Ce dimanche-là, il était allé marcher au Bois, pour essayer de mettre de l'ordre dans le désordre de ses sentiments. Un enfant qui courait derrière un ballon se jeta dans ses jambes, et tomba. Il le ramassa, rattrapa le ballon, le rendit à l'enfant qui disait : « J' m'ai fait mal » en montrant son front, souffla sur l'égratignure en assurant qu'il était sorcier, que le mal s'était donc envolé, et décida d'aller voir Claire.

*

Il la trouva échevelée, en train de repeindre sa cuisine, la pria d'excuser cette arrivée à l'improviste et demanda timidement s'il la dérangeait.

« Oui, dit Claire. Mais ça ne fait rien. »

Elle proposa un thé, le chargea de surveiller les toasts dans le grille-pain et demanda :

« Qu'est-ce que vous faites à Paris, un dimanche ? Et vos électeurs, Pollux ? Ils ne vont pas aimer ça. »

Il dit que ses soucis étaient ailleurs. Ce dont il avait à lui parler était infiniment grave.

Claire avait l'habitude de ces préambules, de la part de ses amis. Elle était de ces personnes qui attirent curieusement confidences et demandes de conseils qu'elle se gardait de donner naturellement. Qui sollicite jamais des conseils pour les suivre quand ils ne coïncident pas avec ce que l'on a déjà décidé ? Mais elle savait écouter.

Pollux commença par des considérations sur le sort des hommes de gouvernement, lorsqu'ils doivent agir contre leur conscience ou leur conviction.

« Je suppose qu'ils les font taire ou qu'ils démissionnent, dit Claire. Il y a une troisième solution ? »

Pollux dit que les choses sont plus compliquées que ne le pensent ceux qui n'ont jamais connu cette situation. On démissionne sous l'effet d'un choc, d'une émotion, d'un événement soudain que l'on ne peut accepter de ratifier. Relativement facile. Tout autre chose est la corrosion lente, la dégradation progressive des termes d'un accord, des bases d'une confiance. On compose, on compose encore, et vient le jour où l'on est si compromis qu'il ne reste plus qu'à se laisser définitivement décomposer.

Il fit état, en termes sibyllins, de ce que, en certaines circonstances, il avait été obligé d'ordonner ou de couvrir.

« Mon pauvre Pollux, dit Claire, vous êtes fait pour être ministre de l'Intérieur comme moi pour être pape. Il aurait pu vous mettre ailleurs, votre ami Castor. »

Sans doute. Mais qui aurait-il mis à l'Intérieur ? Et il n'avait eu qu'à s'en louer. Pollux avait fait passer l'efficacité avant les scrupules et la fidélité avant ses répugnances. D'ailleurs, il devait convenir que c'était aussi un poste propre à certaines ivresses pourvu qu'on ait le goût de l'action occulte et que l'impopularité vous laisse froid. Mais il y avait toujours eu chez lui un quelque chose qui mêlait l'amertume à la saveur délicieuse du pouvoir.

« C'est pour ça que vous êtes fréquentable, dit Claire, tout flic que vous êtes devenu. »

Elle avait compris qu'un conflit l'opposait à Castor. Mais quoi, il céderait, comme toujours, elle n'allait pas s'attendrir sur ses états d'âme.

« La seule raison qui me retient de démissionner, c'est vous, dit Pollux.

— Moi ?

— Oui, vous. Car mon successeur fera ce que je ne veux pas faire. Alors, à quoi bon ? »

Claire ne comprenait pas. Il se jeta à l'eau. L'Américain qu'elle aimait et qu'elle allait voir si régulièrement était son fils, il l'avait deviné dès qu'il avait appris, par Castor, l'existence de ce fils si soigneusement dissimulé. Le localiser ? Facile, il s'en faisait fort et n'avait que trop traîné, vu l'impatience de Castor. L'enlever ? Plus délicat, mais on en avait fait d'autres. Et dans l'état d'esprit où était Castor, tout pouvait arriver.

« Mais je lui ai plus ou moins promis de jouer la comédie qu'il souhaite si le scandale éclate, dit Claire.

— Et il vous croit plus ou moins, dit Pollux. D'ailleurs... j'ai été franc avec vous, soyez-le avec moi pour une fois ! Vous ne la jouerez pas. N'est-ce pas ? Jamais vous n'accepterez de raconter que cet enfant n'est pas le fils de Castor !

— Non, dit Claire.

— Vous voyez ! Comme dirait Castor, ne sous-estimez pas l'adversaire, Claire. Il a trouvé ce prétexte vis-à-vis de lui-même pour vous voir et vous revoir. Mais il n'est pas dupe. Partez dès demain. Allez vite chercher votre fils, cachez-le, cachez-vous où vous voulez, je vous ferai établir des faux passeports. Pour l'instant, il faut gagner du temps. »

Après réflexion, Claire décida de demander plutôt aux Hoffmann de mettre Mike dans un avion à destination de Londres où elle irait l'attendre. De là, elle verrait. Au téléphone, Julie dit qu'elle rappellerait le lendemain à

cinq heures, heure française, pour donner à Claire le numéro du vol.

« Bien, dit Pollux. Je vais vous quitter. Ou, si vous
préférez, allez vous laver et je vous emmène dîner. »

Elle préférait, tant son angoisse maintenant était grande
et son trouble et nombreuses les questions qu'elle se
posait.

Assis l'un en face de l'autre, dans un restaurant chinois
des Champs-Elysées, ils bavardèrent longtemps. Claire
raconta ce qu'elle n'avait jamais confié à personne. La
nature de sa rupture avec Castor, sa révolte contre ce qu'il
avait exigé et surtout contre les motifs de son exigence,
cette volonté qu'elle avait trouvée, en l'absence de Castor,
de tenter de s'exorciser puisqu'elle avait été contrainte
d'admettre qu'il n'aimait que lui.

S'exorciser de Castor, nul mieux que Pollux ne pouvait
comprendre qu'on en ait le désir, ni admirer que l'on y
parvienne.

Elle raconta comment elle avait été aidée par l'amitié
robuste de Julie. Et puis, grâce à Mike sans doute, la
volonté de s'affirmer dans son métier lui était venue. « De
grandes dents me sont poussées, disait-elle en montrant les
siennes, menues et bien chaussées. Je me suis accroché
sauvagement. »

Pour ce qui était de s'accrocher, elle continuait, son
principal concurrent en savait quelque chose. C'était sa
façon d'exister. Le reste... Il n'était plus temps de s'interroger sur la conduite de sa vie ni de croire que l'on se
gouverne par la raison. Elle faisait ce qu'elle pouvait, le
moins mal possible. Il ne dépendait pas d'elle que Castor
fût à la fois détestable et irremplaçable. Ni avec lui ni sans
lui : Pollux aurait pu en faire sa devise, lui aussi. Mais il
raconta, lui aussi. Le détestable commençait à prendre un
peu trop le pas sur l'irremplaçable.

Le soir de son élection, violemment ému bien que rien
n'en parût, Castor avait dit à Pollux : « La félicité ne
consiste pas à avoir l'applaudissement à son entrée car

c'est un avantage qu'ont tous ceux qui entrent. La difficulté est d'avoir le même applaudissement à la sortie. » Et cette brève minute d'humilité, avant de se soumettre à la maquilleuse pour apparaître à la télévision, avait enchanté Pollux. Castor garderait donc la tête froide sous la couronne en toc du monarque élu.

Mais progressivement, son comportement s'était altéré. Non qu'il offrît jamais le spectacle affligeant de la vanité repue ou sourcilleuse. La distance qui avait creusé autour de lui un fossé ne devait rien, non plus, au protocole qu'il avait, au contraire, allégé. Le mal était plus profond, comme s'il compensait les freins mis à son action proprement politique par une conduite faite d'humeurs et de caprices partout où ceux-ci pouvaient se donner libre cours. La courtisanerie qui l'entourait sans qu'il l'eût à proprement parler suscitée avait émoussé sa perspicacité. Son mépris s'étendait indistinctement à tous ceux qui le servaient et s'accompagnait d'une intolérance mêlée de suspicion à l'égard de qui ne lui présentait pas un dos rond.

Enfin, si Pollux venait de le trahir – car, à la fin, c'était une trahison – c'est parce que tout ce qui était acceptable, et parfois admirable en un sens dans la capacité de dissimulation, de ruse, d'implacabilité dès lors qu'il s'agissait de l'intérêt de l'Etat, était intolérable au service d'un intérêt pesonnel. Or, plus que jamais Castor les confondait.

Aux yeux de Pollux, il était de moins en moins évident que le mandat de Castor serait reconduit par les électeurs s'il les sollicitait. En revanche, s'il savait passer la main, les chances du candidat de son parti seraient convenables. Mais, pour avoir tenté une telle suggestion, comme il était de son devoir, Pollux avait tout entendu et le pire.

Il ne souhaitait pas, certes, que la fameuse lettre fût rendue publique. Mais, à supposer que cela se produise, comment les Français jugeraient-ils Castor ? Répugnant aux scandales qui sentaient l'argent, ils étaient moins cruels aux affaires d'ordre privé. Qu'un homme politique, qui était alors sans responsabilité gouvernementale, ait conseillé un avortement et refusé d'assumer une paternité encombrante pour sa carrière, ils n'aimeraient pas, certes. Surtout les femmes. Mais une confession faite avec tout le talent dont Castor était capable, dans le style page douloureuse, hommage aux deux femmes admirables, son épouse et l'autre, dont l'abnégation, etc., ce ne serait pas une trop mauvaise sortie.

Pollux, en tout cas, s'en tiendrait à une décision : il ne prêterait pas la main à l'enlèvement de Mike et au chantage sur Claire. C'était, après tant d'actions dont il n'avait pas lieu d'être fier en termes de morale, mais qu'il ne reniait pas en termes de politique, le seuil qu'il ne franchirait pas.

Comment donc s'y prenait Castor, dit Claire, pour conduire tous ceux qui l'aimaient jusqu'à ce seuil ? Comme ils pouvaient l'un et l'autre parler indéfiniment de Castor, ils continuèrent fort avant dans la soirée.

Le restaurant chinois s'était vidé de ses clients, sauf une table cependant. Celle où dînaient, ce dimanche soir, Herbert et Pierre.

Les serveurs attendaient respectueusement que Monsieur le Ministre de l'Intérieur veuille bien lever le camp. Et Herbert, assis dos à dos avec Pollux, ne se lassait pas d'essayer de surprendre des bribes de conversation. Hélas ! rien que des bribes.

Mais il n'eut aucune peine à savoir le nom de la jeune femme qui accompagnait le ministre. Elle venait souvent déjeuner. Son bureau devait être dans le secteur.

La disposition des tables, logées dans des alvéoles contigus, était telle que, si Herbert et Pollux se tournaient le dos, Claire se trouvait, par instants, dans la trajectoire du regard de Pierre. Il le posa sur elle deux ou trois fois et elle sur lui, une fois rapidement, parce qu'elle se sentait observée.

Il se demanda où il avait déjà vu ces yeux.

Au moment où il déposa Claire devant sa porte, Pollux lui recommanda de dire à ses amis américains, si d'aventure quelqu'un les interrogeait à propos de Mike, qu'il était parti... voyons... en Australie pour passer un mois d'été chez des amis de sa mère.

Il souhaitait bien du plaisir aux agents de Castor si, comme Pollux ne pouvait l'exclure totalement, il en mobilisait de très personnels.

Le garde du corps escorta Claire jusqu'à sa porte et attendit qu'elle fût entrée.

« Ce n'est pas Adrien qui est avec nous ce soir ? dit Pollux au chauffeur. C'est son jour, pourtant.

— Adrien n'est plus avec nous depuis plus d'une semaine, Monsieur le Ministre, dit le chauffeur. Il est en vacances. C'est un remplaçant. »

*

Mike était enchanté. Voyager seul lui conférait une agréable importance. Rejoindre sa mère était tout ce qu'il souhaitait.

L'agaçait seulement cette sorte de bavette, munie de grosses lettres, U.M., dont l'hôtesse avait exigé qu'il la porte et en reste affublé.

Assis à côté d'une jeune voyageur français dans la même situation, il commença à chercher avec lui ce que « U.M. » pouvait bien signifier. Interrogé, leur voisin, un voyageur adulte, s'y mit également. Unijambiste et manchot... Non. Uniforme militaire... Aucun sens... Uile masculine, suggéra Mike, qui avait une connaissance très approximative de l'orthographe française et avait entendu dire qu'une huile était un genre de V.I.P., « *very important person* ».

L'adulte, découragé, retourna à ses mots croisés.

Mike se leva pour aller interroger l'hôtesse qui en interrogea une autre et revint satisfait : il était un *Unaccompanied Minor*.

L'adulte, vice-président d'une association pour la défense de la langue française, soupira.

Le voyage New York-Londres se passa sans histoire.

En arrivant à l'aéroport de Heathrow, Mike se jeta dans les bras de sa mère et demanda aussitôt si elle savait ce que signifiait ce « U.M. » dont on venait enfin de le débarrasser. Claire dut reconnaître qu'ayant vu cinquante fois des enfants à bavette et s'étant demandé cinquante fois ce qu'était un U.M., elle n'avait jamais été jusqu'à s'en informer.

Juin était pluvieux et Londres ne ressemblait à rien de ce que Mike connaissait. Il fut étonné que les Anglais parlent, en somme, anglais bien que ce ne soit pas exactement le même que le sien, posa cent questions pendant le trajet du drôle de taxi noir qui les conduisait à l'hôtel Brown, sauf celle que Claire redoutait. Communiquant très bien avec sa mère par le non-dit, il avait compris que ce n'était pas le moment. Elle avait pour règle de ne jamais lui mentir, mais que fallait-il lui dire de la vérité ?

La télévision, qu'il mit en marche aussitôt franchi le seuil de la chambre, dispensa Claire de lui expliquer immédiatement ce qu'ils faisaient là, tous les deux.

En attendant Mike, à Londres, elle avait eu une idée. Puisque ses Japonais insistaient pour qu'elle se rende sur place en juillet afin de mettre au point l'adaptation de sa collection aux textiles qu'ils comptaient employer, elle leur avait téléphoné en disant d'accord, mais tout de suite. Dans trois jours. Sinon, ce serait impossible avant l'automne.

Les choses n'avaient pas été simples, toute décision devant faire l'objet de « consensus », comme ils disaient, et celle-ci perturbant des plans établis. Elle attendait, dans la soirée, un télex de confirmation. Celui-ci arriva au moment où une inquiétude subtile commençait à rendre Mike nerveux. Elle put lui dire qu'elle devait aller au

Japon pour son travail, et qu'elle avait eu envie de l'emmener puisque l'école était finie, ce qui n'était pas lui mentir. Elle s'arrangea seulement pour lui laisser ignorer qu'ils embarquaient, dans l'avion pour Tokyo, sous un faux nom, grâce au passeport fourni par Pollux.

Mike emporta de Londres le souvenir d'un grand parc verdoyant, ruisselant sous la pluie, de petites maisons toutes semblables les unes aux autres rangées en longues files, de passages couverts réunissant les rues et bourrés de boutiques où sa mère avait cherché un chandail de cachemire à sa convenance, de monuments vénérables mais crasseux, et du scandale qu'il avait provoqué en déclarant immangeable une sorte de mousse succulente, spécialité du White Tower, où Claire l'avait emmené dîner, oubliant que son petit Américain préférait les saucisses à la moutarde.

Il fut choqué d'apprendre que les grands bâtiments, longés en repartant, étaient les écuries de la reine et que cette personne possédait à elle seule un nombre si considérable de chevaux. Pourrait-il monter à cheval chez les Japs ? Claire dut avouer qu'elle n'en savait rien.

*

Un tourbillon d'événements internationaux des plus fâcheux et d'événements nationaux des plus désagréables monopolisèrent, en ce début de juin, l'attention du Président et de Pollux. Chacun d'eux fut néanmoins préoccupé dans le même temps par des événements moins connus.

Au cours de l'un de ces déjeuners où Pollux réunissait régulièrement des journalistes, l'un d'eux, toujours bien informé, un certain Herbert, lui avait dit, en aparté :

« On m'assure que le Président serait fort affecté, en ce moment, par des soucis familiaux, et que ceux-ci ne seraient pas étrangers à la faiblesse de sa dernière prestation.

— Pure invention, dit Pollux. D'ailleurs, le Président n'a

que des parents éloignés, et son épouse va on ne peut mieux. D'où tenez-vous cette histoire ?

– D'une ambassade étrangère, dit Herbert. Vérifiez tout de même, Monsieur le Ministre. Vous savez que les journalistes savent parfois plus de choses que les membres du gouvernement. »

Avec ce qui grouillait à Paris d'agents en tous genres de services secrets en tous genres de pays en tous genres, rien n'était impossible. Mais fallait-il redouter maintenant que la lettre du Président soit exploitée à l'étranger ?

Quant à Castor, au cours d'une matinée un peu plus calme, il avait appelé Pollux sur le téléphone intérieur pour demander :

« Alors, Monsieur le Ministre de l'Intérieur, où est l'enfant ?

– Je viens d'apprendre qu'il est aux Etats-Unis, répondit Pollux. Maintenant, c'est une question de jours...

– Vraiment ! dit Castor. Toutes mes félicitations à vos brillants enquêteurs. Il y était, il n'y est plus. J'ai mes renseignements, moi aussi. A propos, vous savez naturellement ce qu'on raconte dans les chancelleries à mon sujet ?

– Oui, dit Pollux. Je crois savoir et je me proposais de vous en parler quand il vous plaira.

– Il ne me plaît pas », répondit Castor.

Et il avait raccroché.

L'opération « intoxication » conduite par Herbert avait bien fonctionné. Il l'avait menée avec une science consommée des circuits où il convenait d'introduire son venin, assuré du poids de sa réputation qu'il n'avait jamais risquée dans la diffusion, fût-elle orale, d'informations fantaisistes. D'ailleurs, celle-ci ne l'était pas. Il n'en avait déguisé que la source.

Cette fois, c'est lui qui avait eu de l'imagination, pour le plaisir d'amuser Pierre, et d'avoir à lui en parler.

Le cher garçon le tourmentait.

Il travaillait sérieusement sur la traduction qu'il avait en chantier, et il lui arrivait de consulter Herbert, qui possédait à la perfection les deux langues. Mais un matin, il était arrivé au bureau d'Herbert et avait demandé à voir la lettre de Tokyo. Il l'avait lue rapidement.

Aux questions d'Herbert, il avait répondu : « Quelque chose que je veux vérifier... » Et il était reparti, sans explication.

A son tour, Herbert avait relu la lettre, sans parvenir à discerner ce que Pierre y cherchait. Ils avaient maintes fois évoqué ensemble tous les aspects de cette lettre utilisables « pour emmerder le mec », selon la formule favorite du cher garçon. Puis Pierre n'avait plus parlé du « mec » pendant quinze jours, paraissant même se désintéresser de la question, et n'attachant ensuite qu'une attention molle à l'opération « intoxication ».

Herbert avait entrepris de lui enseigner à déchiffrer les événements qui secouaient la planète au lieu d'émettre des jugements péremptoires. De ce côté-là, le garçon faisait des progrès. Jusqu'alors, ses opinions avaient été déterminées, en toutes matières, par celles du mari de sa mère. C'est-à-dire que, sur tous points, Pierre en avait pris le contre-pied.

« C'est très bien, très sain, lui avait dit Herbert. La conscience se pose en s'opposant, comme vous l'avez peut-être appris en classe de philosophie. Mais à votre âge, c'est un peu court. »

Pierre en était convenu. Entre Herbert et lui, il n'y avait pas seulement plus de quarante ans d'écart. Il y avait l'expérience vécue de l'un assortie de culture historique et politique. Sans adhérer, loin de là, à toutes les interprétations de l'histoire en marche auxquelles se livrait Herbert, car l'expérience est intransmissible, frémissant aisément d'indignation à propos de ceci ou cela, Pierre commençait cependant à ne plus diviser le monde en bons et en méchants. A cet égard, Herbert avait donc des satisfactions, mais édulcorées par le sentiment que Pierre lui cachait quelque chose. En quoi il sentait juste.

Lors de leur dîner au restaurant chinois, Herbert avait demandé et obtenu, on s'en souvient, le nom de la jolie blonde qui accompagnait le Ministre. Et il l'avait enregistré. Mais pendant qu'Herbert s'absentait un instant, Pierre avait renversé par inadvertance sa tasse de thé au jasmin et, réparant les menus dégâts, le garçon avait dit que, justement, la nappe tachée était l'un des produits fabriqués sous le nom de la jolie blonde. Et il avait énoncé ce nom dans son entier, tel qu'il apparaissait dans les publicités. Prénom et patronyme.

Pierre retint que la jolie blonde s'appelait Claire, et que, comme ses yeux, ce prénom lui disait quelque chose.

La mémoire mène sa vie propre. Elle censure, elle déforme, elle trie, elle classe, elle enfouit, elle exhume. Rien de moins contrôlable.

C'est seulement le lendemain, tandis qu'il travaillait, qu'ayant à traduire une phrase où se trouvait l'adjectif « claire », il fut tarabusté par ce vague écho que lui renvoyait sa mémoire, jusqu'à ce qu'il se souvienne. Claire : c'était le prénom qui apparaissait deux ou trois fois dans *la* lettre. L'ayant vérifié, il ne se sentit pas beaucoup plus avancé. Avancé sur quelle route, d'ailleurs ? Claire n'était pas le plus répandu des prénoms, mais pas le plus original.

Il était incapable de mettre un âge sur un visage de femme. Il y avait les jeunes, et puis les autres. La jolie blonde n'avait évidemment pas vingt ans, mais elle ne faisait pas, non plus, partie des autres. Donc la coïncidence qui le taraudait n'était pas impossible.

Cédant à l'une de ces impulsions que redoutait Herbert, il eut envie d'aller la voir. Mais où ? Il chercha dans l'annuaire, et s'en fut jusqu'à l'adresse probable.

C'est en rangeant sa moto que le puzzle se reconstitua. Pierre se trouvait exactement là où il avait, un soir, arraché le sac d'une femme dont il n'avait retenu que le regard. Ce sac contenait *la* lettre adressée à une Claire. Et sa Claire aux yeux clairs habitait cette même rue. Elémentaire, mon cher Watson !

Quand il avait sonné à la porte de Claire, une femme de ménage avait ouvert, disant que Madame était au téléphone. Qu'il attende un instant.

Et Pierre était entré dans la grande pièce blanche.

Quand Claire avait raccroché, il avait dit tout de suite :

« Pardonnez-moi de vous déranger... Je travaille pour un institut de sondage. Une enquête au sujet de l'éducation des enfants.

– Je n'ai pas le temps, monsieur, je suis très bousculée », avait répondu Claire.

Mais Pierre avait insisté, promettant qu'il ne la retiendrait que dix minutes. Et parce qu'il avait, ce grand garçon, quelque chose de pathétique, elle avait dit : « Bon, mais dix minutes, pas davantage. »

Quand elle se leva en disant que maintenant, vraiment, elle ne pouvait pas lui donner un instant de plus, qu'elle était désolée, elle avait répondu à vingt questions, dont il avait noté les réponses.

Non, il ne fallait pas gifler les enfants. Non, il ne fallait pas les obliger à manger du poisson. Non, il ne fallait pas refuser de laisser la porte de leur chambre entrouverte quand ils avaient peur de s'endormir dans le noir. Oui, il fallait les obliger à se laver les dents deux fois par jour. Non, il ne fallait pas leur raconter que le loup les mangerait s'ils n'étaient pas sages. Non, il ne fallait jamais jeter ce qu'ils gardent dans leurs poches en disant que c'était des saletés. On ne sait jamais ce qu'un caillou, un ruban, un clou représentent pour eux. Non, il ne fallait jamais les punir en les enfermant dans un placard.

« C'est vous qui avez inventé ces questions stupides ? avait dit Claire en riant.

– Moi, on m'enfermait », avait dit Pierre.

Claire avait eu du mal à le pousser vers la porte. Enfin, il était parti.

*

Pierre ne fut pas vraiment surpris quand il reçut une convocation de la Police judiciaire.

Herbert, soucieux, pesa toutes les hypothèses. Le plus dangereux était de se dérober. Si la police avait réussi à remonter la trace de Pierre à partir de l'incident de la radio, le mieux était de reconnaître qu'il était coupable d'une plaisanterie stupide inspirée par un article de journal. Il risquerait essentiellement une perquisition et ensuite une surveillance active. Car c'était le document, *la* lettre que la police avait ordre de retrouver. Toutes choses fort désagréables assurément, mais moins périlleuses qu'une fuite.

La police, écumant tous les immeubles proches du café, avait d'abord vérifié les alibis de tous les hommes jeunes, grands et bruns, puis découvert que trois habitants de chambres meublées répondant à ce signalement avaient donné congé dans les quinze jours précédant l'incident. Et, possédant leur nom, avait retrouvé leur trace.

« Surtout, pas de faux alibi, avait conseillé Herbert. S'il le faut, dites que vous êtes resté, comme tous les matins, dans votre chambre pour y travailler, après être descendu prendre un café à côté. C'est bien ce que vous avez fait, n'est-ce pas ?

– Oui. »

Lorsque Pierre eut décliné son identité, indiqué qu'il était traducteur, actuellement, pour une maison d'édition honorablement connue, que le mardi 12 il avait très certainement passé la matinée chez lui à travailler comme à l'accoutumée, et qu'il avait quitté sa chambre précédente, par trop sordide, lorsqu'il avait été assuré de gagner de quoi en payer une moins inconfortable, on le fit entrer

106

dans une petite pièce où se trouvaient déjà deux hommes grands, jeunes et bruns.

Une porte s'ouvrit et apparut ce à quoi il s'attendait, car Herbert avait évoqué ce danger : la serveuse du café. On l'avait déjà confrontée à une série de suspects. Elle posa sur Pierre le même regard vide que sur les deux jeunes hommes qui l'encadraient et dit : « Non, c'est aucun de ceux-là. »

Et Pierre se retrouva libre, après avoir poliment demandé s'il pouvait, sans inconvénient, quitter Paris pour aller voir ses parents qui résidaient en province. Pas d'inconvénient. Qu'il laisse néanmoins son adresse.

« Vous voyez, dit-il à Herbert qui l'attendait au journal en se rongeant, j'étais sûr qu'elle ne me trahirait pas, ma gentille serveuse. »

Un jour, il saurait la remercier.

Il répéta qu'elle était sans âge, au travail de six heures du matin à six heures du soir, mais qu'elle était bonne, tout simplement bonne et il redit ce qu'un jour il avait dit : le seul être humain que j'aie jamais connu, avec ma mère.

« Et moi, que suis-je ? » demanda Herbert.

Pierre sourit, en plissant ses yeux noirs.

« Je ne sais pas, dit-il. Une vieille crapule, mais je vous aime bien tout de même. »

Néanmoins, il ne souffla pas mot de ce qu'il avait découvert au sujet de la jolie blonde nommée Claire, ni de sa visite chez elle.

Les policiers qui avaient procédé à son interrogatoire et à la confrontation firent entendre l'enregistrement de la déposition de tous les suspects à l'animateur de l'émission de radio. Ils ne tirèrent, de cette audition, rien de concluant.

Herbert avait suggéré, à regret, que Pierre prenne quelque distance avec Paris et avec lui, maintenant qu'il était dans l'œil du cyclone. Ce à quoi Pierre avait déjà pensé, en indiquant à son interrogateur qu'il comptait se rendre chez ses parents.

Muni de ses dictionnaires et de son manuscrit, il prit le train de nuit, débarqua à Nice, par un soleil glorieux et prit livraison de sa moto.

Assis à la terrasse d'un café, en attendant qu'ouvre un salon de coiffure où il pourrait se faire raser avant de se présenter chez sa mère, il se demanda comment il se trouvait des Français qui préféraient vivre à Roubaix.

*

« Je suis absente pour quelques jours. Vous pouvez me laisser un message et je vous rappellerai en rentrant. Attention, c'est à vous de parler. »

Entendant la voix de Claire enregistrée par son répondeur téléphonique, Castor s'irrita qu'elle ne l'ait pas prévenu. Difficile, décidément, de la faire rentrer dans l'ordre normal des choses...

Elle voyageait beaucoup, il est vrai. La dernière fois qu'il l'avait vue, elle partait pour Madrid, et elle lui avait expliqué pourquoi : ces boutiques qui s'ouvraient un peu partout, son contrat l'obligeait à participer à leur lancement...

Le préoccupaient les échos et rumeurs qui se multipliaient, « soucis familiaux », « ennuis d'ordre privé », « humeur massacrante dont on croit deviner l'origine », etc. Il connaissait assez ce mécanisme – l'ayant mis en branle en d'autres temps, aux dépens d'un autre – pour savoir qu'on ne l'enraie pas. Au mieux, il s'épuise de lui-même, faute d'alimentation. Au pire, il précède une « révélation » vraie, approximative ou fausse, mais toujours accrochée à un petit fait exact. Superbement oublieux, comme à l'accoutumée, de la façon dont il avait rabroué son ministre de l'Intérieur lorsque celui-ci avait manifesté le désir de lui en parler, il le convoqua pour lui reprocher de n'en avoir rien fait.

Pollux essuya l'orage, puis fit le point sur la question.

Les rumeurs avaient pris assez de consistance pour que

le Premier Ministre se soit discrètement enquis auprès de lui de la nature des soucis personnels du Président. Santé ? Amours ? Famille ? Il s'était laissé dire qu'un lointain neveu qui portait le même nom...

« Qu'y pouvons-nous ? dit Castor. Vous savez bien que tout homme politique devrait être orphelin, enfant unique, stérile, veuf et fils d'orphelins eux-mêmes enfants uniques pour avoir une chance qu'on lui foute la paix avec sa famille. Comptez sur moi pour demander au Premier Ministre des nouvelles de sa putain de belle-sœur. »

C'était pour parler. Il n'en ferait rien évidemment.

« Il serait bon aussi, si je peux me permettre, que la Présidente fasse meilleure figure, dit Pollux. On a beaucoup remarqué, de sa part, une sorte de distraction triste, ce sont les mots qui ont été employés, pendant la dernière soirée à l'Opéra, quand vous avez reçu le président de la...

– Elle ne supporte pas le chant ! dit Castor. Elle supporte tout, tout, mais pas le chant !

– Il faut reconnaître qu'*Elektra,* ce n'est pas de la tarte, dit Pollux. On se demande qui a eu l'idée de choisir...

– C'est moi, dit Castor. Qu'est-ce que vous reprochez à *Elektra* ?

– Moi, rien », dit Pollux, bien que le somptueux délire de la fille d'Agamemnon ne fût pas son opéra de prédilection.

Le moment n'était pas de contrarier Castor à propos de Richard Strauss.

Au sein du Parti, on commençait aussi à s'agiter.

« Tous idiots ou intrigants, dit Castor. Il n'y a personne d'un troisième type. »

Mais il s'en occuperait, évidemment.

Broutilles, cependant que ces eczémas. L'aspect préoccupant de l'affaire, c'était que le grelot avait été attaché et que, encore une fois, se profilait derrière ces versions diverses de « soucis familiaux » le contenu de la lettre de Tokyo. Et, de ce côté-là, on piétinait. L'enquête sur l'incident radiophonique avait, comme souvent une enquête, ramené dans les filets de la police des découvertes totalement étrangères à l'affaire, non négligeables, que l'on allait exploiter. Mais s'agissant du coupable lui-même, aucun des vagues suspects présentés au témoin n'avait été reconnu. On poursuivait.

Pollux ne dit pas qu'un malheureux garçon grand, brun et jeune, qui s'appelait effectivement M. Dujapon, avait passé dans les locaux de la P.J. une journée dont il ne manquerait pas de se souvenir. Mais son alibi était en acier trempé : ce matin-là, il faisait cours à des écoliers. Simplement, bouleversé d'avoir été interpellé, il s'était trompé sur la date.

Un indicateur avait signalé l'existence d'une femme qui se répandait dans son quartier en déclarant : « Moi, je sais que notre Président adore les enfants, puisque ma fille est sa fille et qu'il vient la voir toutes les semaines. » Une folle. D'ailleurs, elle n'avait pas de fille, mais elle n'en démordait pas. Banal.

Quoi d'autre ?

Rien de sérieux. Quelle était l'analyse de Pollux ? Toujours la même. Aucun complot. Un vol fortuit, un voleur assez averti pour identifier l'auteur de *la* lettre – il y avait maintenant des voleurs dans tous les milieux –, l'homme se lasserait ou commettrait une imprudence, ou tenterait de négocier le document.

« Admettons, dit Castor. Négocier avec qui ?

– Avec moi... Peut-être avec Claire. »

Certes, on ne pouvait pas écarter complètement l'hypothèse selon laquelle la lettre serait monnayée auprès d'adversaires. Ou de l'un de ces journaux... Mais cela supposerait une animosité politique que brassière, dragées et scandale radiophonique ne traduisaient pas. La rumeur lancée à partir d'une ambassade étrangère était plus inquiétante à cet égard.

« Je ne vous le fais pas dire », remarqua Castor.

Il pesa, supputa, examina le cas du ou des pays en

situation de souhaiter la déstabilisation du président français.

Ils furent interrompus par un message urgent que transmettait le secrétaire général. Un coup d'Etat au Moyen-Orient.

« Eh bien, dit Castor, ça en fait au moins un qui sera déstabilisé avant moi. »

Pollux se leva pour laisser le Président à cette nouvelle affaire. Ce n'était pas son rayon.

« Où est Claire ? demanda Castor avant que son ministre ne franchisse la porte.

– Je l'ignore, dit Pollux. Elle n'est plus sous surveillance depuis longtemps.

– Et mon fils ?

– Nous cherchons.

– En somme, vous ne savez rien, dit Castor. Adieu. »

Et il passa au Moyen-Orient. Pour la première fois, il avait dit « mon fils », si Pollux avait bien entendu.

*

Douze jours s'étaient écoulés depuis que Claire avait quitté Paris.

A Tokyo, elle avait rempli en huit jours ses obligations. Mike s'était montré raisonnable, s'intéressant à tout, cherchant à comprendre à quoi s'employait exactement sa mère.

« Les Japs veulent coucher dans tes draps et s'essuyer avec tes serviettes ?

– Pas tous ! Mais beaucoup j'espère », avait dit Claire.

Pour qu'il saisisse ce qu'elle était venue faire, elle lui avait montré, en traçant le même dessin sur une serviette-éponge et un mouchoir de fil, que le résultat était différent. Les combinaisons délicates de tons, longuement étudiées, pouvaient aussi être altérées une fois transposées d'une matière à l'autre. Enfin, il y avait les dimensions, la présentation, le conditionnement, bref une série de problèmes techniques auxquels il fallait apporter la solution la mieux adaptée à la clientèle locale.

Huit jours durant, dimanche y compris, Mike avait attendu sa mère sans protester, mais il avait indubitablement épuisé les délices de la piscine olympique comme de l'électronique miniaturisée dont les produits jonchaient la chambre qu'il partageait avec sa mère. Le neuvième jour, après lui avoir infligé la visite de Kyoto parce qu'elle voulait y voir le temple, Claire demanda : « Tu as envie qu'on s'en aille ? » Et il répondit oui, sans la regarder.

Il était à plat ventre sur son lit, boudeur, lisant des bandes dessinées.

Claire, allongée sur le lit voisin, tournait et retournait dans sa tête l'alternative dont elle se sentait prisonnière. Le Japon ne serait pas tenable longtemps. De surcroît, ici ou ailleurs, on ne vit pas longtemps avec un enfant en dissimulant son identité, sauf à lui inspirer la peur d'un terrible danger. Déjà, il y avait eu ces derniers jours, à la réception de l'hôtel, un quiproquo dont elle s'était tirée sur une corde raide.

Alors que faire ? Aller se terrer avec Mike dans quelque plage, protégée par le passeport procuré par Pollux mais à la condition de terroriser Mike pour qu'il avale son nom ?

Ou rejoindre, le 1er juillet, la maison louée en Grèce, où les Hoffmann devaient lui laisser leurs enfants avant d'aller faire du tourisme, débarrassés de leur marmaille ? Dans ce cas, inutile de chercher à se dissimuler avec Mike sous un nom d'emprunt. Combien de temps faudrait-il aux hommes de Castor pour dénicher l'enfant ?

Mike s'étira, demanda l'heure et qu'est-ce qu'on fait maintenant.

« On va partir, dit Claire. Je te promets. Où veux-tu ? Apporte ta carte, on va regarder. »

Mike avait précieusement gardé la grande carte à volets que les compagnies aériennes offrent à leurs voyageurs sur les longs trajets. Il voulut repérer, sur cette carte, les pays qu'il connaissait déjà. L'Amérique, l'Angleterre, la Grèce, le Japon...

« Toi, tu habites...

– Là », dit Claire.

C'était Paris ? Non, c'était la France.

« C'est petit, dit Mike. Mais c'est là que je veux aller, dans ta maison avec toi. »

Et il retourna à ses bandes dessinées.

Claire se dit que cette réponse, elle ne l'avait pas volée, en jouant à « où veux-tu ? » Peut-être même l'avait-elle inconsciemment provoquée.

Rentrer, en finir avec cette double vie, passer six mois sans prendre l'avion, habiter Paris avec son fils, bien banalement, en lui disant qui était son père, ne l'avaient-ils pas mérité tous les deux ? En tout cas, elle n'allait pas le perturber en lui annonçant qu'il fallait changer de nom.

Pollux l'avait affolée, elle ne regrettait pas cette échappée au Japon qui l'avait éclairée au moins sur la décision à ne pas prendre. Mais laquelle, maintenant, fallait-il prendre... Dans ce pays étranger ô combien elle se sentait solitaire comme on ne l'est qu'en compagnie d'un enfant, et rêva d'entendre une voix amie, de prendre conseil.

« Alors, dit Mike, où on va ?

– On ira en France, dit Claire, mais en passant chez Julie. Comme ça, tu auras fait le tour du monde, mon vieux. »

Elle n'en était plus à un voyage près. Heureusement, le contrat avec les Japs lui promettait des royalties fructueuses.

Elle descendit avec Mike, rasséréné, pour consulter le concierge de l'hôtel sur les vols Tokyo-New York, retenir deux places, câbler à Julie et prévenir le bureau, où l'on devait commencer à désespérer de ne savoir où la joindre, qu'elle continuait à se déplacer.

Puis ils s'en furent, main dans la main, acheter quelques menus cadeaux made in Japan pour les enfants Hoffmann.

*

Il y avait deux heures que le Président se tenait debout sur l'estrade, sans le secours de sa canne.

Derrière lui, les membres du gouvernement et autres officiels se levaient et s'asseyaient, comme à la messe, mais c'était entre deux régiments. A sa droite, les membres du corps diplomatique, ambassadeurs au grand complet, en faisaient autant. Le Président, lui, avait saisi l'occasion que lui offrait la revue du 14 Juillet pour manifester que ses « soucis familiaux » n'affectaient pas, en tout cas, sa vigueur. Et ce fut, en effet, remarqué. La Présidente, en revanche, gardait, sous un chapeau impétueux, cet air de « distraction triste » qui commençait à faire parler.

A croire qu'elle n'aime pas non plus la musique militaire, pensa Pollux, qui la plaignait sans avoir jamais éprouvé à son endroit une réelle sympathie.

Président et Présidente persévérèrent dans leur être pendant la réception consécutive au défilé, où deux mille personnes envahirent les salons et le parc de l'Elysée, sous un soleil de plomb, lui, toujours debout, jonglant avec la fausse confidence à l'usage de la presse, l'émotion sobre en cette grande journée nationale à l'usage de la télévision, les degrés subtils dans la cordialité, le bon mot glissé en aparté et pieusement recueilli pour être répété. Bref, accomplissant au mieux cet aspect de sa tâche. Elle, délivrée de son chapeau, mais maussade, négligeant une main qui se tendait et ce n'était pas celle qu'il eût fallu ignorer, effusive avec la putain de belle-sœur du Premier Ministre qui se glissait partout mais qui donc l'avait invitée, celle-là, dont la robe rouge transparente donnait des distractions à nos petits soldats, chasseurs alpins transpirant dans leur uniforme.

Rares furent ceux qui notèrent que la Présidente se retirait avant le Président, mais ce fut noté cependant.

Ils se retrouvèrent seuls dans le petit salon jouxtant la

salle à manger privée, lui assis enfin, elle regardant, silencieuse et triste, par la fenêtre, la pelouse saccagée par les talons hauts.

Le maître d'hôtel annonça le déjeuner. La Présidente resta immobile.

« Qu'est-ce que vous avez? dit Castor. Etes-vous souffrante? »

Elle se retourna et dit de sa voix plate :

« J'en ai assez. Voilà. C'est tout. J'en ai assez.

– Bien, dit Castor. Ce n'est pas une raison pour le montrer.

– J'en ai également assez de ne pas montrer, dit la Présidente sur le même ton uni.

– Bien, dit Castor, montrez. Mais à moi, pas aux autres. »

Elle marcha lentement vers la cheminée et dit :

« Je crois que je vais casser ce vase.

– Bien, dit Castor, cassez. Prenez plutôt celui de gauche, il est très laid. »

Alors il entendit ce qu'il croyait impossible d'avoir jamais à entendre de la bouche de cette épouse parfaite qui, en trente-cinq ans de mariage, n'avait jamais émis un reproche. Tout y passa. Tout ce qu'elle avait accumulé de frustrations, d'humiliations, de fureurs muettes, toutes les blessures endurées, les larmes refoulées, les désirs muselés, les élans contrariés, trente-cinq années dont elle débitait la comptabilité minutieuse de cette même voix lisse de femme bien élevée, ajoutant qu'elles avaient été, de surcroît, trente-cinq années d'hyperactivité, qu'à additionner toutes les crèches qu'elle avait inaugurées, et tous les bébés qu'elle avait embrassés, elle s'étonnait que l'on prétendît en manquer en France, qu'à multiplier tous les thés de dames auxquels elle avait assisté par les dîners d'ambassade qu'elle avait endurés et les rubans qu'elle avait coupés, elle était certainement championne olympique, médaille d'or de la corvée.

« Mais je croyais que vous aimiez ça ! s'écria Castor, tandis qu'elle reprenait souffle.

— Mon pauvre ami ! dit-elle, et même, pour employer votre vocabulaire, une fois n'est pas coutume, je dirai : pauvre con ! C'est vous que j'aimais ! »

Il regarda cette dame à cheveux gris, un peu replète maintenant, mais parfaite, comme d'habitude, dans sa robe discrètement imprimée.

« Bien, dit-il. Et maintenant, vous ne m'aimez plus.

— Maintenant, dit-elle, même le son de votre voix, votre célèbre voix, m'insupporte.

— Bien, dit Castor machinalement, bien.

— Et ne dites pas « bien » toutes les trente secondes, ou je vais crier.

— Je vois, dit Castor. Ceci mis à part, que comptez-vous faire ? »

Elle retourna vers la fenêtre et répondit, lui tournant le dos, qu'elle allait voir avec les jardiniers comment réparer rapidement la pelouse, décider avec le cuisinier du menu le mieux adapté à un souverain arabe, recevoir la présidente du Syndicat des mères abandonnées, signer les réponses aux trois cents lettres reçues chaque semaine en s'assurant que chacune était bien adaptée...

« Bref, dit-elle, je vais faire mon devoir.

— Bien, dit Castor. Très bien. »

Elle se retourna et il crut, un instant, qu'elle allait le gifler.

« Je ferai mon devoir jusqu'à la fin de votre mandat, par respect pour ceux qui vous ont élu, dit-elle. Mais ensuite... Pfft ! Quant à vous, j'espère que vous ferez le vôtre à l'égard de cet enfant dont vous m'avez parlé... Maintenant, allons déjeuner, les domestiques vont finir par se poser des questions.

— Je me fous des domestiques », dit Castor.

Et saisissant sa canne, il faucha le vase de la cheminée.

« Vous avez cassé le bon, dit la Présidente.

— Je casse ce que je veux », dit Castor.

116

*

Dans la salle de séjour de l'appartement que ses parents occupaient à Nice, Pierre avait entr'aperçu quelques images de la revue du 14 Juillet à la télévision.

Il s'était retrouvé auprès de sa mère dans ce climat de chamaillerie permanente sur fond de tendresse où ils avaient, ensemble, toujours vécu. Mais, divine surprise, celui qu'il appelait le mari de ma mère; ou encore « le Colonel », frappé d'hémiplégie, avait perdu l'usage de la parole. Dès lors qu'il était aphasique, que l'on roulait son fauteuil sur la terrasse le matin, face à la mer, et qu'il y restait jusqu'au soir, le pauvre homme était devenu inoffensif. Mieux : quand on l'avait installé de façon qu'il puisse, lui aussi, regarder défiler les troupes, il avait trépigné chaque fois qu'apparaissait sur l'écran le Président qu'il détestait. « Tous les mêmes, disait-il du temps qu'il pouvait parler. Ah ! pauvre France, quand je pense qu'on s'est fait trouer la peau pour ça... »

Pour la première fois depuis vingt ans, la mère de Pierre avait vu ses deux hommes d'accord.

« La gueule de ce mec non mais tu as vu sa gueule », disait Pierre.

Et l'autre approuvait frénétiquement.

Réduit à l'état de vieux bébé cramoisi qu'une infirmière manipulait avec dextérité, le Colonel ne pouvait plus exprimer que par des sons inarticulés la fureur où elle le plongeait lorsqu'elle s'approchait, une assiette à la main et lui nouait une serviette autour du cou en disant : « Maintenant, on va être gentil et bien manger sa petite compote avant d'aller faire son petit dodo. » Parfois, il réussissait à faire tomber l'assiette. C'était le bon moment de sa journée.

« Il souffre ? avait demandé Pierre, impressionné à la vue du colosse foudroyé.

— Non, on ne souffre pas. On fait des caprices. Si on

recommence, on va se faire gronder », avait dit l'infirmière.

Malgré la sympathie qu'aurait dû, en bonne logique, lui inspirer une personne capable de gronder le Colonel, Pierre déclara que cette bonne femme était à tuer.

« Je t'en prie, ne commence pas, avait dit sa mère. C'est une sainte. Sans elle, je ne sais pas ce que je deviendrais. »

Naguère, le Colonel ne le voyait jamais arriver sans le saluer d'un « Qu'est-ce qui nous vaut l'honneur... » qui voulait être drôle. Pierre répondait : « Si je vous dérange, je préfère m'en aller. » Invariablement, sa mère enchaînait, plaintive : « Je t'en prie, ne commence pas... »

La suite n'était pas moins répétitive, avec des modifications de détail, jusqu'au « Tu n'es capable que de faire pleurer ta mère... » du Colonel.

Cette fois, chair humiliée, langue clouée, le Colonel était hors jeu.

Mais l'Autorité avait pris les traits de l'infirmière.

Réfugié dans sa chambre d'adolescent, Pierre en sortit le premier matin en quête de café pour entendre un « C'est à cette heure-ci qu'on se lève ? » qui lui fit faire une retraite précipitée.

Cependant, la vie s'était organisée. En revenant de la plage, il trouvait son lit fait, les volets clos pour protéger la chambre de la chaleur montante, du linge repassé sur la commode, le tube de pâte dentifrice et celui de crème à raser recapuchonnés, le lavabo brillant, de l'eau fraîche dans la carafe thermos. Et, bien sûr, un déjeuner l'attendait.

Il travaillait tout l'après-midi. Quand il entendait, à sept heures, le pas vigoureux de l'infirmière s'éloigner dans l'escalier, signifiant que la voie était libre, que le Colonel était nourri, lavé, bichonné, couché la main sur une sonnette, il posait son stylo, venait rôder autour de sa mère en demandant : « Qu'est-ce qu'il y a pour dîner ? » et prenait possession de la terrasse.

En deux semaines, le répertoire complet de la cuisine maternelle associé au soleil et à des nuits de douze heures avait transformé le loup noir efflanqué en un jeune homme lustré.

Un matin où il ramenait à terre la planche à voile que le plagiste, ancien camarade de lycée, lui prêtait, il aperçut, offerts au soleil, des seins qu'il crut reconnaître, surmontés d'un visage huilé aux yeux clos protégés par des lunettes noires.

Il dit à mi-voix :

« Elisabeth... »

Les yeux s'ouvrirent derrière leurs hublots; et Elisabeth – car c'était bien elle – se redressa en s'appuyant sur les coudes. Tiens c'est toi qu'est-ce que tu deviens moi ça va et toi ça va oui ça va attends je vais te présenter mon fiancé on se marie le mois prochain tu vois c'est lui là-bas sur le pédalo non excuse-moi on m'attend salut.

Il prit la fuite et, rentrant prématurément, croisa l'infirmière dans la cuisine où il venait explorer le frigidaire.

« On n'a pas honte de donner tout ce travail à sa mère ? lui dit-elle. Ah ! les hommes ! Vous me la copierez ! Vous ne voyez pas qu'elle est vannée !

– Elle adore ça, se sacrifier », dit Pierre.

En quoi il n'avait pas tort.

Néanmoins, il la chercha, la trouva sur la terrasse en train de lire à haute voix le journal au Colonel dont c'était l'une des exigences pour qu'il consentît ensuite à se nourrir.

Pierre n'avait jamais remarqué que sa mère avait, maintenant, besoin de lunettes. Il les retira doucement.

« Qu'est-ce que tu fais ? dit-elle, mais qu'est-ce que tu fais ? »

Il la prit par la main, l'obligea à se lever.

« Viens, dit-il. Je t'emmène déjeuner au restaurant. Va mettre une jolie robe pour faire honneur à ton fils. »

Mais elle ne voulut pas en entendre parler.

Comme toujours lorsque leur conversation sortait des sentiers balisés, ils finirent par se quereller tandis que le Colonel, frustré de son journal, s'agitait. Il était temps que la mère et le fils se séparent pour se regretter.

Pierre annonça son départ.

Sa valise bouclée, alourdie de trois pots de confiture, celle qu'il préférait, il serra très fort sa mère contre lui.

« Embrasse ton père avant de partir, dit-elle. Tu ne le reverras peut-être pas vivant. »

Il bougonna qu'il se ferait une raison mais elle dit, très bas :

« Il a été bon pour toi, mon petit, et bon pour moi. »

Alors il obéit. Il effleurait de ses lèvres la joue décharnée lorsque l'infirmière surgit.

« On partait sans dire au revoir, hein ? Ah ! misère de Dieu, pourquoi met-on des enfants sur terre, on se le demande.

– Accident ! dit Pierre. En ce qui me concerne, je peux vous dire qu'on ne l'a pas fait exprès. »

Il saisit sa valise et dégringola l'escalier en se maudissant d'avoir laissé, une fois de plus, sa mère les larmes aux yeux. Sur le chemin de la gare, il lui fit envoyer trois bottes d'œillets.

Au bureau d'Herbert, Pierre apprit que le gros homme était en Suisse où il achevait une cure de ramonage d'où il reviendrait, à la fin du mois, délesté de quelques kilos et prêt à les reprendre.

Chez son éditeur, la maison était déjà plongée dans le demi-sommeil de l'été. Il remit cent feuillets manuscrits à la dactylographie et emporta la suite du texte original qui arrivait d'Allemagne par morceaux.

La jeune fille qui le reçut lui dit qu'il avait vraiment bonne mine, très bonne mine. Ils allèrent déjeuner ensemble. Elle était agréable cette jeune fille. Elle savait tout de la vie littéraro-parisienne à laquelle Pierre était totalement étranger, et laissait tomber des prénoms auxquels il était incapable d'accoler un nom. Il disait : « Georges qui ? Bernard qui ? » et ça la faisait rire. D'où sortait-il ?

Il prit sa revanche avec le cinéma, domaine où il était imbattable. Il pouvait citer le nom des opérateurs japonais, des scénaristes turcs, des seconds rôles brésiliens et, cela va de soi, de tous les films de Griffith et de Louise Brooks, son idole. Le plus clair du temps de ses études, il l'avait passé à la Cinémathèque.

Elle lui dit deux ou trois fois qu'il parlait comme Philippe-André et il demanda qui était Philippe-André. Elle dit que c'était un mec très calé qu'elle avait jeté parce qu'il la collait mais très calé vraiment.

Parce qu'elle était menue, avec un petit nez droit et des cheveux très noirs, comme sa mère, il lui demanda si elle était arlésienne. Non, elle était bretonne. Et elle tenait à payer sa quote-part du déjeuner.

Cet après-midi-là, il n'eut pas beaucoup de temps pour travailler et elle arriva au bureau à cinq heures, ce dont personne ne lui fit reproche parce que la maison était quasiment vide.

Pierre lui rapporta, le lendemain, les boucles d'oreilles qu'elle avait oubliées sur la table de chevet.

*

Julie fut aussi clairvoyante que Claire l'avait à la fois espéré et redouté. Les deux amies s'étaient retirées dans la chambre de Julie, baignée de soleil mais excessivement rafraîchie par l'air conditionné. Claire éternuait et rêva un instant d'une pièce obscure et tiède, protégée du soleil par des volets que zèbrent des rais de lumière.

Ces maisons méridionales aux murs épais et aux fenêtres étroites munies de jalousies, c'était toute leur vie d'adolescentes, du temps qu'elles passaient leurs vacances dans une vieille demeure familiale délabrée, dont quelques tuiles tombaient lors des orages d'août, et où il n'y avait pas de salle de bain.

Vendue la maison, vendus les oliviers, vendu le figuier si exubérant que l'on pouvait déjeuner à dix sous son ombrelle. Toute la splendeur des forêts d'érables, tout le confort de la maison du Connecticut, y compris la piscine, n'auraient jamais le goût de ces étés enfuis.

Et parce que ce jour-là Claire et Julie n'échangeaient pas ces propos purement utilitaires ou agréablement superficiels qui font l'essentiel des conversations, parce qu'elles se retrouvaient ensemble comme à l'âge tendre des confidences pathétiques, Claire avait spontanément évoqué la vieille maison où elles avaient, autrefois, tant et tant parlé.

Julie, hardie, était alors aussi pétulante que Claire, rêveuse, était silencieuse. Julie prenait toujours les initiatives audacieuses et déclarait, petite fille, moi je serai aventurière. Mais l'aventurière présumée était devenue l'épouse d'un homme tranquille et la mère d'une abondante progéniture qui suffisait, pour l'heure, à absorber son énergie. Tandis que Claire était devenue une femme d'affaires nantie d'un enfant naturel dont le père était président en France, et menacé par un scandale. Ainsi va la vie.

Le verdict de Julie fut simple et net : Claire avait perdu l'esprit. Un : cette histoire d'enlèvement ne tenait pas debout. Un chef d'Etat ne pouvait pas prendre le risque de faire enlever un enfant américain, fût-il le sien. Ce scandale-là, il ne s'en relèverait pas. La plus sûre parade, en tout cas, n'était pas de se cacher avec Mike mais, au contraire, de s'afficher avec lui. Deux : l'Europe était finie, bonne pour le tourisme mais finie, comme la vieille maison, comme les oliviers. Mike était parfaitement adapté à la vie américaine. Au lieu de l'emmener vivre à Paris, qu'est-ce que Claire attendait pour transférer le centre de ses activités aux Etats-Unis, enterrer son passé et s'intéresser à des hommes décents ? A trente-huit ans, il n'était que temps. Il faut prendre ces décisions-là avant que, à l'intérieur des cuisses, la peau ne devienne molle et grenue.

Tandis que Claire inspectait la face intérieure de ses

cuisses – mais de ce côté-là elle n'avait rien à craindre – Julie poursuivait. Trois : quoi que Claire décide, elle pouvait compter sur Julie, y compris pour continuer à parler le français avec Mike afin qu'il n'oublie pas sa langue maternelle.

Claire parla de sa mère, avec qui elle ne s'entendait guère, qui ne cessait de se lamenter lorsqu'elles se voyaient le 1er janvier parce que sa fille n'était pas mariée et tu verras mon enfant comme c'est triste de vieillir seule, moi, depuis que ton pauvre père m'a quittée...

« Elle est bête, dit Julie, elle a toujours été bête. J'ai souvent pensé que ton père est mort jeune pour ne plus avoir à la supporter. »

Bête elle l'était, en effet. Mais Claire pouvait-elle l'abandonner ? Lui téléphoner de Paris ou de New York, c'est la même chose, ça coûte un peu plus cher, voilà tout, et au moins elle aura une bonne raison pour se lamenter, dit Julie dont le sens pratique n'était jamais en défaut.

Mike vint annoncer qu'il allait plonger du plus haut plongeoir ; sa mère était priée de venir le regarder.

« Tu le vois, enfermé dans l'une de nos joyeuses écoles où l'on fait une heure de gymnastique par semaine et galopant dans ton pigeonnier ? » dit Julie.

Non, Claire ne le voyait pas. Elle ne voyait plus rien sinon qu'elle était fatiguée, fatiguée.

Au dîner, on parla de la Grèce où toute la famille se trouverait à la fin de la semaine, les enfants se querellèrent en parlant tous à la fois comme d'habitude, sauf Mike, résolument silencieux.

Soudain, il dit en français :

« Et moi, où je vais ?

– Tu viens avec nous, bien sûr, dit Julie.

– Tu m'avais promis qu'on irait en France dans ta maison, dit Mike en regardant sa mère. Tu avais promis. »

Il se leva et sortit dignement.

« Vous lui aviez promis », dit l'aînée des enfants Hoffmann, sévère, et elle courut rejoindre Mike.

Les quatre autres se mirent à piailler, et les deux chiens à aboyer. Alors, pour la première ou peut-être la deuxième fois de sa vie, Claire cria : « Merde ! » murmura : « Pardon » et éclata en sanglots.

« Enfin, dit Julie calmement. Il y a longtemps que j'attendais ça... Laissez Claire pleurer tranquillement, les enfants... Toi, va lui chercher des kleenex. »

*

Le Président avait horreur de l'été.

Les jours, certes, coulaient plus paisibles dès lors que parlementaires, syndicalistes, journalistes, étudiants, professeurs étaient en vacances, que les incendies de forêt, les voiliers en perdition, les bouchons sur les routes et la pollution de la mer faisaient le plus gros de l'actualité nationale en attendant « la rentrée » qui, bien sûr, serait chaude. Mais Castor n'était pas devenu président pour couler des jours paisibles et ce débrayage psychologique généralisé était d'autant moins de son goût qu'il ne pouvait décemment s'éloigner quelques jours de Paris en d'autre compagnie que celle de son épouse. Or, le seul sport qu'il avait encore plaisir à pratiquer, sa jambe étant ce qu'elle était, il ne l'exerçait pas avec elle. Cette année, de surcroît, leurs tête-à-tête risquaient de n'être pas des plus souriants.

Il prit officiellement prétexte d'une brusque tension entre les deux « Grands » comme disaient les journaux, expression que, pour sa part, il n'employait jamais – et la France ? elle n'était pas « grande » ? – pour expédier son épouse dans leur maison de famille et rester seul à Paris. Le bruit d'un remaniement ministériel avait occupé les articles de politique intérieure et il l'avait laissé courir. Il ne détestait pas rappeler ainsi aux membres du gouvernement, si prompts à l'oublier, la précarité de leur condition.

En fait, il avait décidé d'attendre janvier mais, comme

toujours, sa décision resterait secrète jusqu'au moment opportun. Surprendre était une part de son talent.

Dans l'immédiat, seul un ministre coupable d'intempérance de langage avait été évacué. Le Premier Ministre, excédé d'avoir à réparer par des rectificatifs ce que l'on appelait des gaffes, avait exigé son départ. Le Président l'aimait bien, cet impétueux. Trop jeune pour que ses qualités portent ombrage au prince, assez jeune pour lui inspirer une manière d'affection. Il lui avait ouvert le chemin, autrefois, dans le Parti.

Après que son congé lui eut été signifié par le Premier Ministre, le coupable d'incongruités répétées, fut convoqué par le Président.

A l'Elysée, au lieu qu'une voiture le dépose devant le perron du Palais, il dut se faire reconnaître au poste de garde pour pouvoir pénétrer dans la cour et la traverser à pied, sur le gravier crissant. Parce qu'il n'était pas sot, il fut mortifié d'en être mortifié et c'est la mine basse qu'il entra dans le bureau présidentiel où il pénétrait pour la première fois.

Mais le Président se montra paternel et, quoi qu'il en eût, l'ancien ministre en fut revigoré. Admonesté sur la forme de ses interventions, il lui fut doux d'imaginer qu'il était approuvé sur le fond, que « le Vieux » l'avait sacrifié à regret et que, aucun Premier Ministre n'étant éternel, il ne fallait pas qu'il désespère, seulement qu'il s'assagisse. Réconforté à la pensée qu'il restait bien en cour, il fit ce qu'il jugeait habile pour y demeurer en démolissant du mieux qu'il put le candidat potentiel à la succession du Président, lequel détenait au gouvernement un portefeuille important.

Mais « le Vieux » n'était pas un enfant de chœur. Si plaisante que fût la chanson à ses oreilles, il coupa court, retenant cependant de ses propos que le Rival Abhorré se flattait d'avoir acquis l'appui du ministre de l'Intérieur au sein du Parti pour dissuader le Président de demander le renouvellement de son mandat.

Ainsi Pollux le trahissait ? Même Pollux ?

Il n'en eut, par ailleurs, aucune confirmation et, au fond de lui, il en savait assez sur l'art d'intoxiquer et sur la science que possédait Pollux d'être en bons termes avec tout le monde pour que ces racontars le laissent circonspect. Mais son intuition ne l'avait pas trompé quand il avait soupçonné Pollux d'infidélité au bénéfice de Claire. Ce n'est pas à lui qu'il fallait raconter que l'enfant était introuvable avec les moyens dont disposait le Ministre. Et comme l'éternel défaut de Pollux était de sous-estimer l'adversaire, il avait sous-estimé Castor en croyant pouvoir le berner.

L'inspecteur remplaçant l'un des deux gardes du corps de Pollux qui l'escortaient alternativement était un agent du Président. Ainsi Castor avait-il mis Pollux en observation en ce qui concernait ses relations avec Claire, relations dont il supportait mal la permanence et l'intimité. Autrefois, dans le trio qu'ils formaient, Pollux était la pièce rapportée, l'ami commode et accessoire à la fois. Qu'il y eût maintenant entre Claire et Pollux des rapports personnels dont il était absent, cela avait commencé par l'agacer puis par faire sourdre sa méfiance quand il avait pressenti que Pollux était en train de prendre le parti de Claire contre lui. L'expression de Pollux, quand il avait parlé de faire enlever l'enfant pour « la tenir », ne lui avait pas échappé. Pourquoi ne lui avait-il pas dit, l'imbécile : « Tu ne peux pas faire ça ! Dans ta fonction, tu ne peux pas te permettre que Claire te dénonce comme voleur d'enfant ! » Au lieu de quoi, il s'était conduit comme un gamin. Ah ! la solitude du pouvoir ! même Pollux n'avait plus avec lui son franc-parler. Tous lâches, tous corrompus par la peur... Lui qui ne demandait qu'à trouver en face de lui des interlocuteurs capables de lui tenir tête, de le contredire, de lui parler net. Le beau est que tout cela, Castor le croyait sincèrement, bien qu'il ne supportât plus d'entendre « Il va pleuvoir » quand il avait dit « Il va faire beau ».

Bref, il avait fait espionner Pollux, et c'est par le rapport de l'inspecteur remplaçant qu'il avait eu connaissance de la partie de la conversation surprise dans la voiture, lorsque Pollux avait raccompagné Claire après le dîner au restaurant chinois.

Grâce à quoi, Castor avait eu un bon moment en disant à Pollux : l'enfant n'est plus en Amérique.

Bien. Mais si Pollux était capable de prendre le parti de Claire contre lui, pourquoi ne prendrait-il pas le parti de son Rival Abhorré ? Il décida d'en avoir le cœur net et pria Pollux à déjeuner. Une petite table avait été dressée dans le salon gris, le seul qui ne soit ni doré ni lambrissé.

Là, Castor se remit au tutoiement et joua l'homme dubitatif. Sept ans, ce serait déjà bien long... D'ailleurs sa femme insistait pour qu'il se retire... Et puis, il se sentait vieillir, si, si, vieillir; sa mémoire était moins fidèle, ses réflexes moins sûrs, son infirmité plus sensible, sa résistance aux fatigues qu'il devait s'imposer moins grande... Le moment n'était-il pas venu de céder la place à un homme plus jeune, plus moderne de ton et d'allure... Enfin, Pollux voyait à qui Castor pensait... D'ici quelques mois, celui-là serait tout à fait mûr pour occuper la fonction et sa popularité allait grandissant, en tout cas dans les sondages... Qu'en disait-on dans le Parti ? Castor dit qu'il attendait de Pollux une réponse entièrement sincère, uniquement commandée par leur vieille amitié et une juste appréciation de l'intérêt national... Et patati et patata.

Il voulait la réponse, il l'eut. Pollux lui dit qu'il avait raison, qu'il manifestait une fois de plus sa lucidité et son sens toujours si vif de l'avenir, il dit qu'il était heureux et soulagé de la décision que Castor paraissait avoir prise, l'intelligence et la sagesse mêmes.

« Bien, dit Castor, l'œil mi-clos. Très bien. »

Et puis, ce fut l'explosion.

Ainsi, ce qu'on lui avait rapporté était vrai : Pollux le trahissait. Même Pollux. Ainsi, la conspiration au sein du Parti pour le décourager et pousser à la candidature du

Rival Abhorré avait trouvé l'appui de son meilleur, de son plus ancien, de son plus fidèle lieutenant saisi par on ne sait quelle misérable ambition. Tous des ambitieux ! Qu'est-ce que l'Autre lui avait promis ? De le faire Premier Ministre, sans doute. C'était ça, le plat de lentilles ? Et la France ? La France, ils n'y pensaient jamais ni les uns ni les autres ni Pollux... Tous les mêmes, uniquement préoccupés de leur carrière, aveugles aux intérêts essentiels de la nation. Mais pour qui donc se prenaient-ils ? Que seraient-ils sans lui ?

Il fut brutal, cinglant, cruel, épinglant chacun d'un jugement foudroyant, il fut odieux, il fut lui-même et termina cette apostrophe par un « Je vous briserai, je vous briserai tous ! » avertissement parfois suivi d'effets qui lui était familier dans les circonstances où l'on s'opposait à sa volonté.

Mais, cette fois, incontestablement, il était touché.

Il le fut plus encore lorsque Pollux, au lieu de chercher à l'apaiser, à se défendre, à se faire pardonner, dit : « C'est toi qui es devenu aveugle aux intérêts de la nation, tu as voulu m'entendre, tu m'entendras. Je maintiens mot pour mot ce que j'ai dit. Quant à la conspiration, je n'en suis pas et tu le sais très bien. Je dirai même que si elle n'a pas pris plus d'ampleur c'est largement grâce à moi, ne fût-ce que parce qu'il serait détestable que ton pouvoir paraisse affaibli pendant les mois qui te restent à l'exercer... D'ailleurs, il n'y a ni conspiration ni conjuration, il y a des conversations entre des gens qui croient que si tu te représentes, tu seras battu, comme je le crois, et comme j'ai déjà essayé de te le dire il y a quatre mois. »

Ce fut un très mauvais moment que passa Castor tandis que Pollux décrivait l'attitude présidentielle depuis quelques mois, sans injustice mais sans complaisance. Un très mauvais moment parce que, on l'a dit, Castor avait la capacité de reconnaître ses fautes quand il en commettait, mais, à vrai dire, de préférence lorsqu'elles étaient anciennes.

En commençant à lui répondre, Pollux s'était dit : il va me jeter dehors, eh bien soit. Il fallait qu'un jour nous en arrivions là.

Mais Castor l'avait écouté, silencieux, concentré, n'élevant que de brèves objections de fait sur tel ou tel aspect de la critique à laquelle il était soumis.

« Bien. Nous aurions dû parler de tout cela plus tôt, dit-il enfin. Tout ce que tu dis n'est pas juste, mais pourquoi ne m'en as-tu jamais parlé ? »

Et Pollux dit que c'était peut-être là le pire : personne ne pouvait plus songer à lui parler, à lui dire autre chose que ce qu'il voulait entendre sauf à se faire éjecter ou rejeter dans le camp des conspirateurs, des conjurés, des comploteurs.

« Tu es en train de me dire que je suis devenu insupportable », dit Castor.

Et, obéissant jusqu'au bout au vertige de vérité qui l'avait emporté, Pollux répondit :

« Insupportable tu l'as toujours été, et un peu parano, comme dit Claire. Parano, insupportable et irremplaçable.

— Claire dit ça, vraiment..., grommela Castor. Bien, très bien. En somme, Claire et toi, vous... »

Il avait failli dire : vous complotez contre moi, mais il enchaîna :

« ... Vous avez des relations intimes, maintenant, très intimes.

— Non, dit Pollux, affectueuses.

— Où en ont tes recherches au sujet de l'enfant ? demanda Castor.

— Je ne le recherche pas. Je ne l'ai jamais recherché et je ne le rechercherai pas », dit Pollux.

Il se leva, son visage maigre plus gris que jamais et ajouta :

« Ma démission est à ta disposition. Tu la recevras par écrit dans une demi-heure.

— Ne fais pas le con, dit Castor. Et assieds-toi, nous

avons encore beaucoup de choses à nous dire, et j'aime prendre le café à table. »

*

Lorsque l'avion en provenance de New York se posa à Roissy, Claire, Mike et les sept Hoffmann en descendirent, mais arrivés au bout de la passerelle, les Hoffmann s'engagèrent dans le circuit des voyageurs en transit, tandis que Claire et Mike s'engouffraient dans le long tunnel blanc.

« Une semaine, rien qu'une semaine, avait dit Claire à Julie, et nous vous rejoignons en Grèce. »

Mike fut ébloui par les coursives vitrées qui se croisaient. Il commençait à avoir une certaine pratique des aéroports et celui-là ne ressemblait à aucun autre. Sauf que la livraison des bagages était aussi longue et que les voyageurs sont les mêmes partout.

Ultime précaution : Claire était rentrée en France sous son nom d'emprunt, en présentant son faux passeport où figurait Mike.

Il était encore très tôt dans la matinée lorsqu'ils arrivèrent rue de Grenelle, où Beau-Chat, qui percevait comme tous les chats le son des pas à longue distance, attendait derrière la porte. Mais à peine furent-ils entrés, valises posées, il se fit insaisissable, ce qui laissa Mike déconcerté.

Les volets étaient clos, le frigidaire vide, à l'exception du lait et du foie que la femme de ménage renouvelait tous les deux jours à l'intention de Beau-Chat; le répondeur indiquait qu'il avait enregistré trente-deux appels et il faisait déjà chaud. Enfin, Claire avait dû abandonner sa cuisine, peinture inachevée, et le spectacle était pittoresque.

Fenêtres ouvertes – non Mike, il n'y a pas d'air conditionné – bagages défaits – non, Mike, les chats ne viennent pas quand on les siffle, attention! il va te griffer – douche prise – non, Mike il n'y a pas de programme à la télévision le matin – Claire descendit avec Mike faire quelques courses dans le quartier.

En remontant, ils trouvèrent la femme de ménage et Claire dit :

« Je vous présente mon fils...

– Je m'appelle Mike, et toi ? » dit Mike.

Ce fut un grand moment, le sacre de l'enfant-roi qui avait une faim dévorante, mais non laissez Madame je vais m'occuper de ce trésor comment tu les préfères les œufs mon mignon toi tu peux dire que tu ressembles à ta mère.

Mais quand Mike eut achevé corn flakes et œufs brouillés, il plaça lui-même vaisselle et couverts salis dans la machine à laver. Il n'avait pas l'habitude, chez Julie, d'être servi par les femmes ni même servi tout court.

Enfin, il s'installa sur le haut tabouret, devant la table à dessin, demanda de la musique et promit de ne pas s'ennuyer pendant le temps où sa mère s'absenterait.

Claire avait négligé les messages impérieux de Castor, insistants de Pollux, amicaux de quelques personnes annonçant leur départ, humoristiques de son amant à éclipses. Mais au bureau, plusieurs questions en suspens l'attendaient et on lui en disait l'urgence.

En rentrant vers sept heures, elle trouva Mike endormi sur le canapé, Beau-Chat à son flanc. De ce côté-là aussi, Mike était adopté. Claire jeta sur lui une couverture qu'il repoussa sans s'éveiller, ramassa les chaussures lancées au hasard et le verre de lait vide, rangea les disques épars dans leurs pochettes respectives, recapuchonna les marqueurs de couleur.

Un désordre d'un genre nouveau s'était introduit dans la maison.

Claire n'avait pas encore l'âge où l'on souffre mal le désordre des autres et où l'on réduit le sien, mais à habiter seule depuis tant d'années, elle s'était habituée au luxe de la salle de bain non partagée, de la lumière que l'on éteint, la musique que l'on écoute, la télévision que l'on regarde à son heure, du repas que l'on prend à sa faim ou que l'on ne prend pas.

La vie d'hôtel, au Japon, avait suggéré une situation exceptionnelle, provisoire par nature. Ici, chez elle, un innocent perturbateur allait lui rapprendre ce que signifie vivre dans une pièce loggia, fût-elle vaste, avec un homme, eût-il dix ans.

Celui-ci avait l'odeur exquise des enfants bien portants qui ont chaud dans leur sommeil. Elle ne résista pas à la tentation de l'embrasser, tira les rideaux, saisit une tranche de jambon qu'elle mangea avec ses doigts. Fatiguée, mais incapable de dormir alors que son horloge biologique indiquait midi et demi, elle se remit à la peinture de la cuisine.

Vers minuit, anéantie, elle prit un somnifère. A six heures du matin, Mike la réveilla frais et dispos. Il s'était couvert de peinture en allant fouiller dans le frigidaire et ne savait comment s'en débarrasser.

A huit heures dix, le téléphone sonna. Mike décrocha et dit : « Yeah ! » Claire prit le récepteur. C'était Pollux.

« Ah ! dit-il, enfin vous voilà. Vous n'êtes pas seule ?

— Non, dit Claire. C'est mon fils qui vous a répondu. Je préfère prendre le risque de me jeter dans la gueule du loup plutôt que de courir jusqu'à ce qu'il m'attrape.

— Le loup est blessé, dit Pollux. De ce côté-là, il n'y a plus de danger. Je ne savais où vous joindre pour vous le faire savoir. »

Sur l'autre front, celui de la lettre, c'était le calme plat.

Elle dit qu'elle allait rester deux ou trois jours à Paris avant de rejoindre ses amis en Grèce et qu'elle serait de retour le 1er septembre.

« Et vous ? » demanda-t-elle.

Pollux ne prenait pas de vacances. Seulement un week-end très prolongé qu'il comptait passer en Italie pour revoir les Carpaccio avant que quelque catastrophe mondiale ne se produise qui les détruirait à jamais.

« Ça ne vous dit rien ? demanda-t-il.

– Non, dit Claire en riant. Moi, j'en suis à la tour Eiffel, au tombeau de Napoléon et au Palais de la Découverte, en ce moment. Bons Carpaccio. Je vous appelle dès mon retour. »

Il y avait aussi, promise à Mike, la promenade en bateau-mouche sur la Seine. Claire n'avait jamais rien vu ni fait de tout cela, mais c'était Mike qui prenait les décisions sur la foi de ce que lui avaient dit les enfants Hoffmann.

La femme de ménage vint faire ses adieux. Elle partait en vacances, elle aussi, et qu'est-ce que Madame allait faire de Beau-Chat cette année où la gardienne de l'immeuble s'absentait également. C'était une personne qui avait le sens des formules. Elle disait de Claire aux livreurs qui admiraient l'équipement de la cuisine : « Madame, c'est la machine qui gagne l'argent pour acheter les machines. » Et à Claire : « Vous savez faire ce que je sais faire et je ne sais pas faire ce que vous faites. »

Elle dit qu'elle prendrait bien Beau-Chat avec elle mais qu'il ne s'entendrait pas avec son mari qui avait un caractère de chien.

« On l'emmènera », dit Mike qui ne se séparait plus du siamois.

Il fallait acheter un sac spécial pour le transporter, avec une fenêtre pour voir et une pour respirer, dit la femme de ménage.

Bref, la mère et le fils avaient une rude journée devant eux.

*

Pollux, en revanche, se trouvait moins bousculé que d'habitude. Il avait vaguement espéré que Claire aurait eu envie de l'accompagner en Italie. Les aimables personnes qui occupaient quelquefois et même assez régulièrement ses soirées n'étaient pas de celles avec lesquelles il pouvait s'exhiber, et on rencontre toujours quelqu'un dans ces cas-là. Il feuilleta son carnet d'adresses, forma successivement deux numéros, sans succès. Bon. Le sort en était jeté, il partirait seul.

A huit heures quarante-cinq, une secrétaire lui apporta la moisson du matin. Sa secrétaire particulière était en vacances. Il eut besoin d'un dossier concernant une affaire personnelle et s'impatienta parce que la secrétaire tardait à le lui donner. Il l'appela.

« Téléphonez à Mme Celle, dit-il. Elle vous dira où il est. J'espère que vous savez où la trouver ?

– Oh ! oui, Monsieur le Ministre, dit la jeune femme. Mme Celle est à Venise. Elle m'a laissé son numéro. »

Pollux aimait bien Mme Celle. Et même, il aurait été désespéré de la perdre. En vérité, aucune femme ne pouvait se vanter d'avoir passé autant d'heures avec lui, tout au long de sa vie, ni de lui avoir été plus rigoureusement indispensable. Mais à l'idée de se retrouver seul, croisant Mme Celle seule sur la place Saint-Marc, et obligé pour le moins d'unir un moment sa solitude à la sienne, il se sentit profondément mélancolique. Le cartel sonna le premier coup de neuf heures. Ses collaborateurs commencèrent à entrer. Il eut autre chose à penser.

A la fin de la réunion, il retint son chef de cabinet.

« Quand prenez-vous vos vacances ? demanda Pollux.

– Quand vous voudrez, Monsieur le Ministre. Je suis célibataire, alors...

– Vous n'avez pas envie d'aller faire un tour à Venise ?

– A Venise en août ? Franchement, Monsieur le Ministre, je préfère la Lozère. Mais, puis-je savoir...

– Non, rien », dit Pollux.

Il n'avait pas longtemps pleuré sa femme, quand elle l'avait quitté, tant sa vie en avait été simplifiée, mais deux ou trois fois par an, il comprenait comment on se marie, quitte à le regretter.

A douze heures trente, il fut prévenu que le ministre de l'Agriculture avait été retenu par des manifestants en colère et que son avion n'avait pu décoller à l'heure prévue. Le préfet du département était au téléphone. Pollux se retrouva seul pour déjeuner, ce qui ne lui arrivait jamais en semaine. La vue d'un saumon de la Loire sauce tartare acheva de le déprimer. Il avait interdit que cet animal excessivement répandu dans les repas auxquels il était contraint d'assister figure sur sa table. Mais le cuisinier était en vacances et son remplaçant ignorait la consigne.

Il fit appeler son chef de cabinet dont la voiture allait déjà franchir la grille, et qui remonta en hâte.

« Vous aimez le saumon sauce tartare ? demanda Pollux.

— Quand il est bon, Monsieur le Ministre...

— Eh bien, asseyez-vous, vous allez en avoir, dit Pollux. J'ai besoin de vous. »

Même les vieux solitaires ont parfois de ces moments où l'on parlerait avec son ombre si elle pouvait parler.

L'autre obtempéra, le temps de se décommander. Il ne sut jamais pourquoi, ce jour-là, son ministre l'entretint pendant soixante minutes des métamorphoses de l'art vénitien dégagé des sortilèges de Byzance, des cristaux chromatiques et des architectures spatiales dans l'histoire de *Sainte Ursule* et de l'émotion cosmique que lui donnait *La Tempête*. Mais il comprit que son ministre n'était pas dans son assiette et qu'il avait un besoin urgent de repos.

*

Le 2 août au matin, Herbert, le teint rose et la circonférence réduite, eut le plaisir extrême, en dépouillant le courrier que sa secrétaire lui avait laissé, accompagné d'une note récapitulant ce qui s'était passé en son absence, de trouver un mot de Pierre.

« Je viens vous chercher mardi pour déjeuner... si vous êtes capable de trouver un restaurant ouvert. »

Il donna quelques coups de téléphone et finit par dénicher une bonne table digne de ces retrouvailles.

Cette séparation lui avait été cruelle. Le cher garçon était imprévisible et il aurait pu aussi bien, en rentrant, trouver une lettre postée au Guatemala, ou lui annonçant son mariage, ou – pis encore – pas de lettre du tout.

En fait, il aurait dû prolonger sa cure d'une semaine, mais il n'y tenait plus. Pierre avait pris dans ses pensées et dans sa vie une place tout à fait excessive; il était le premier à en juger ainsi, tout en s'émerveillant de ce miracle dont il croyait ne plus jamais pouvoir être le théâtre.

« Vous êtes superbe, mon cher garçon ! Superbe ! dit-il en voyant arriver Pierre, encore tout hâlé, et superbe en effet. Quelle joie de vous retrouver ! »

La porte de son coffre était ouverte. Il allait y placer un dossier et la refermer lorsque Pierre dit :

« Vous me donnez la lettre ? La lettre du mec ?

– Si vous voulez, dit Herbert. Mais pour quoi faire ?

– J'en ai besoin », dit Pierre.

Herbert la sortit du coffre et la lui tendit.

Pierre la mit dans sa poche.

« Ne la perdez pas, dit Herbert. Ce serait dommage. J'ai eu une idée qui va vous amuser.

– Moi aussi, dit Pierre, j'ai eu une idée. On y va ? J'ai un rendez-vous de bonne heure. »

Herbert voulut prendre un taxi parce que le restaurant où il avait retenu était éloigné.

« Montez là-dessus, dit Pierre, en montrant sa moto. Je vous emmène. Allez ! Montez ! Et accrochez-vous bien. Où va-t-on ? »

Ce que Herbert n'avait jamais osé espérer et qui ne se reproduirait plus, ce qui lui fut à la fois délice, angoisse et supplice, dura vingt-cinq minutes, qu'il passa les bras autour de la taille de Pierre, le nez sur sa nuque.

« N'allez pas trop vite ! dit-il.

– Non, mon petit père, dit Pierre en riant. On va vous ménager. »

L'élaboration du menu permit à Herbert de retrouver sa contenance.

« En somme, dit Pierre, vous n'avez pas changé. La bouffe, pour vous, c'est le pied.

– J'ai des satisfactions annexes, dit Herbert, mais plus rares il est vrai. A propos, voulez-vous venir mercredi soir voir un spectacle de ballets ?

– Des ballets ! C'est chiant », dit Pierre.

Herbert improvisa quelques arabesques sur ce thème qui lui était cher, mais Pierre ne l'écoutait plus. Il avait envie de parler de son travail, des difficultés qu'il rencontrait. Un passage de l'ouvrage qu'il traduisait le tourmentait. Il avait emporté quelques pages du texte original et de la version qu'il en donnait. Herbert releva ses lunettes sur son front pour lire ce que Pierre lui montrait. Il releva une erreur de sens, souligna une phrase correcte mais dont la saveur avait disparu, comme aplatie. Ces remarques mises à part, le travail de Pierre était assez remarquable.

« Vous avez saisi ce qu'il y a de plus rare, dit Herbert. La musique, le mouvement du texte allemand. »

Pierre reprit ses papiers.

Les ris de veau qu'on apportait absorbèrent un moment toute l'attention d'Herbert.

« Vous vous souvenez de la serveuse ? dit Pierre. La serveuse du café où j'avais téléphoné... Elle est morte.

– Comment l'avez-vous su ? dit Herbert.

– J'y suis allé... Je voulais la remercier. Le patron était seul. Il m'a dit : « C'est de Madame Berthe que vous « parlez ? Imaginez-vous qu'on l'a trouvée morte chez « elle, un matin... Depuis, impossible de trouver quel- « qu'un. Et on dit qu'il y a du chômage... »

– Et alors ?

– Alors rien. »

Herbert respira. Que faire avec ce garçon capable de toutes les folies ?

« Vous croyez que c'est sérieux, dit Herbert, d'avoir été traîner là-bas ?

– Je voulais la remercier, dit Pierre.

– Quel âge avez-vous exactement, mon cher garçon ? dit Herbert.

– Exactement vingt ans, dit Pierre. Pourquoi ?

– J'aurais cru plutôt douze, dit Herbert. Et encore ! Onze !

– Vous ne comprenez pas que l'on puisse s'attacher, comme ça, à des gens, pour un geste ? Quelque chose qui les rend différents des autres ? » dit Pierre.

Il regarda l'heure.

« Deux heures... Merde ! Je vais être en retard... Je vous laisse... Vous trouverez un taxi. Merci ! A bientôt ! »

*

Claire et Mike revinrent de leur expédition exténués. Mike trempait dans la baignoire, lorsque, vers sept heures, on sonna à la porte. Claire, cuisses nues sous un tee-shirt, entrouvrit la porte après avoir mis en place l'entrebâilleur.

Elle aperçut Pierre sur le palier.

« N'ayez pas peur, dit-il. Vous me reconnaissez ? Je suis venu pour un sondage...

– Ah ! non ! dit Claire. Une fois, ça suffit ! »

Et elle referma la porte.

« Qui c'était ? cria Mike.

– Je ne sais pas. Quelqu'un qui a dû se tromper, dit Claire.

– Je croyais que c'était la surprise, dit Mike.

– Quelle surprise ? »

Il sortit de la baignoire en éclaboussant généreusement le sol.

« Sors de là, dit Claire, sors de là, je vais te sécher. »

En l'enroulant dans une serviette, elle aperçut un papier qui glissait sous la porte.

« Viens, dit-elle, on va se mettre de la musique. »

Elle commença à explorer le rayon des disques.

« C'est pas commode ton système, dit Mike. Pourquoi tu n'as pas un Walkman ?

– On en achètera un demain.

– Et beaucoup de cassettes !

– Et beaucoup de cassettes. Essaie de trouver la chanson que tu aimes, dit Claire... Tu sais... *The Single Man. A song for a Guy...* »

Pendant que Mike tirait une à une les pochettes, elle retourna à la porte, ramassa le papier et lut : « N'ayez pas peur. Je voudrais vous parler d'une certaine lettre... expédiée de Tokyo. Je reviendrai tout à l'heure. »

Elle brancha le téléphone à côté de son lit et appela le ministère de l'Intérieur. La secrétaire n'était pas Mme Celle; elle ne connaissait pas le nom de Claire et s'obstinait à refuser de lui passer le ministre sans savoir de quoi il s'agissait.

« Dites-lui qu'il s'agit de la lettre de Tokyo, mademoiselle, vite, je vous en prie... »

Pollux n'eut qu'un mot :

« J'arrive... S'il est là avant moi, surtout, retenez-le. »

Enfin ce qu'il avait prévu se produisait. Il s'excusa auprès de son dernier visiteur, le confia à son directeur de cabinet, demanda sa voiture, vite. Vingt minutes plus tard, il était chez Claire.

Vingt-cinq minutes après, Pierre arriva rue de Grenelle. Devant la porte, la voiture de Pollux, munie de la cocarde tricolore, stationnait, le chauffeur au volant, le garde de corps – Adrien, qui était revenu – debout, appuyé sur la portière ouverte. Pierre repéra la cocarde, dépassa l'immeuble, entra dans l'immeuble voisin. Quand il avait vu Claire, au restaurant chinois, elle accompagnait le ministre de l'Intérieur. Il comprit qu'elle avait signalé son message au ministre. Il n'allait pas se faire piéger.

Il attendit un instant, ressortit de l'immeuble, repassa devant la voiture et s'éloigna tranquillement. Il chercha un café ouvert, eut quelque peine à en trouver. Le quartier tout entier semblait plongé dans la torpeur.

Quand le téléphone sonna, Claire se précipita et entendit une voix d'homme dire : « Vous avez tort, madame, de fréquenter les flics. Tant pis. Ne m'attendez pas. »

Claire resta déconcertée, le récepteur à la main.

« C'est lui, dit-elle. Il ne viendra pas. Il m'a dit : « Vous avez tort de fréquenter les flics; tant pis, ne m'at-« tendez pas. »

Pollux saisit le téléphone, appela son chauffeur, demanda si un homme grand, jeune et brun s'était approché de la voiture.

Approché, pas vraiment, mais un homme grand et brun était passé et repassé. Dix minutes plus tôt, peut-être... Ou un quart d'heure.

« Il a repéré ma voiture, dit Pollux à Claire. Je suis idiot.

– Qu'est-ce qu'elle a ta voiture », dit Mike.

Mais il n'obtint pas de réponse. L'attention de Pollux et de Claire était ailleurs.

Pollux téléphonait, et Claire, arrachée à la paix des derniers jours, avait renoué avec l'angoisse.

« Tu n'auras pas ta surprise, dit Mike.

– Quelle surprise ? dit Claire.

– Il avait une surprise pour toi », dit Mike.

Claire ne comprenait pas.

« Quelqu'un que j'ai vu hier, dit Mike paisiblement. Il avait une surprise pour toi.

– Quelqu'un ? Hier ? »

Oui. Il avait vu quelqu'un. Pendant qu'il dessinait, en l'absence de Claire, on avait sonné; il avait ouvert et un monsieur était entré. Un monsieur comment ? Un monsieur. Il avait la peau tannée...

« Bronzée, rectifia machinalement Claire, tannée c'est en anglais... »

... La peau bronzée, il était sympathique et ils avaient parlé tous les deux.

« Parlé de quoi ?

– On a parlé de football, dit Mike. Il ne connaissait pas le vrai, l'américain.

« – Ça, dit Pollux, ça mon vieux, on en reparlera tous les deux. »

Et à part le football ? Il avait demandé à Mike comment était sa mère, si elle l'embrassait le soir quand il était couché, si elle savait faire la confiture de framboises, enfin des questions comme ça, et Mike avait dit que sa mère il ne la voyait pas assez mais que pour le reste, elle était très bien, que non, il ne savait pas le nom de son père parce que c'était un secret mais qu'il le saurait à quatorze ans.

« C'est incroyable, dit Claire. Pourquoi ne m'as-tu rien dit ?

– Parce qu'il me l'a demandé, dit Mike. Il a dit : « J'ai « une belle surprise pour ta mère, qui lui fera plaisir. »

Il remit un disque en mouvement.

« Arrête cette musique, dit Pollux. Tu vois bien que je téléphone. »

Offensé, Mike se retira dans la cuisine. Il en avait assez de ces mystères et commençait à être nerveux. Il revint en disant qu'il n'y avait rien pour dîner et que ce n'était pas comme chez Julie où le frigidaire était toujours plein, regarda d'un mauvais œil Pollux, assis sur le canapé, plongé dans ses réflexions, et dit :

« Où je vais dormir ce soir ? »

Claire sentit monter l'orage.

« Il faut que je le fasse dîner et que je m'occupe de lui », dit Claire.

Mais Pollux ne manifestait pas l'intention de bouger.

Elle emmena l'enfant dans la cuisine, lui montra la cocotte où mijotait un petit plat à sa façon, le cajola, lui dit qu'il coucherait dans son lit à elle. Et il s'apaisa.

« Vous voulez dîner avec nous, Pollux ? cria Claire.

– Je ne veux pas vous déranger », répondit Pollux sans l'ombre de conviction.

Mike apprécia médiocrement mais il était épuisé et quand sa mère lui dit : « Allez, maintenant on dort... » il ne fit pas de manières et s'endormit sitôt la tête sur l'oreiller.

Claire rejoignit Pollux qui, décidément, goûtait ses talents culinaires.

« Demain, ça ira mieux. Il est temps qu'il reprenne une vie normale », dit-elle.

Pollux demanda quand elle comptait quitter Paris. Ses places étaient retenues pour le surlendemain, mais elle espérait avancer son départ.

« Je ne peux pas vous laisser partir, Claire, dit Pollux. J'ai besoin de vous. »

Il expliqua qu'elle était la seule à pouvoir identifier de façon certaine celui que Mike appelait le Monsieur et qui avait probablement volé son sac. Que tous les suspects qui avaient été repérés répondant au même signalement, après l'incident radiophonique, allaient être à nouveau convoqués. D'autre part, la ligne de Claire serait prise à l'écoute, et si le Monsieur rappelait, il faudrait qu'elle le retienne longtemps au bout du fil, le temps de repérer la source de l'appel et d'aller le cueillir. Mais ce pouvait être dans un mois ou demain. Pas question de s'éloigner. D'ailleurs, il n'en était plus question pour lui non plus.

Il trouva Claire intraitable. Elle dit qu'on ne pouvait pas jouer avec les enfants, en tout cas pas avec le sien. Mike était déréglé, troublé, c'est pourquoi il avait été désagréable. Il venait de passer trois semaines éprouvantes à leur manière, c'était fini. Il était grand temps qu'il retrouve la paix parmi les Hoffmann, en même temps que la mer et des vacances de son âge, puis les Etats-Unis où il rentrerait directement.

« D'ailleurs, moi aussi je vais quitter la France, dit-elle. Pas complètement, mais je vais m'organiser pour travailler surtout là-bas. »

Sa détermination était évidente.

« Vous allez gâcher notre seule chance de récupérer la lettre à laquelle vous teniez tant, dit Pollux.

— Ça m'est égal, dit Claire. Il faut parfois choisir entre des inconvénients.

142

– Sans compter qu'il vous a volé cinq mille francs, ce charmant personnage... »

Il évoqua Castor, mais elle dit qu'elle ne voulait plus en entendre parler.

« Alors, je ne vous reverrai plus ? » dit Pollux.

Mais si, il la reverrait ! D'abord, ses affaires ne se régle-raient pas en un clin d'œil, elle serait là en septembre. C'est sur le fond que sa décision était prise.

Pollux enfin parti, elle rangea la maison et régla son réveil pour qu'il sonne à huit heures. L'avion pour Athè-nes était à 13 heures 10. S'il restait deux places, ils arrive-raient à temps.

Pollux passa la plus mauvaise nuit de son existence, depuis celle où il avait failli se tuer en voiture.

Quand il sortit, à 7 heures 25, pour sa promenade mati-nale sur les Champs-Elysées, il hésitait encore.

Quand il remonta à 7 heures 55 l'avenue Marigny, au lieu de rentrer au ministère, il tourna à droite dans la rue du Faubourg-Saint-Honoré. Au poste de garde de l'Elysée, on s'étonna de voir le ministre de l'Intérieur arriver à cette heure inhabituelle.

A huit heures, Claire fut réveillée en sursaut. Elle n'avait pas encore compensé le décalage horaire et se sen-tait hagarde.

Mike n'était pas là. Elle bondit de son lit et le trouva, avec Beau-Chat, prenant tranquillement le petit déjeuner qu'il avait préparé.

A 8 heures 10, elle sut qu'elle avait deux places pour Athènes le jour même. Elle avala un café et fit, en hâte, sa valise, tandis que Mike se chargeait de la sienne.

*

La nuit de Pierre n'avait pas été fameuse non plus.

Quand Herbert arriva à son bureau au matin, le garçon l'attendait, assis sur l'escalier.

Il ouvrit la porte avec sa clef.

« Entrez..., dit-il. Eh bien, qu'est-ce qu'il y a ?

— J'ai fait une connerie », dit Pierre.

Pour une connerie, c'en était une. Et majeure.

« Ma parole, dit Herbert accablé, c'est à croire que vous avez envie de vous perdre ! »

Il allait et venait dans son bureau, ruminant ce qu'il venait d'entendre.

« Ainsi, dit-il, on volait des sacs avant de connaître le vieil Herbert...

— C'était pour une fille... », dit Pierre.

Belle excuse.

« Et puis, merde ! Qu'est-ce que ça peut foutre de voler un sac à une de ces bonnes femmes qui se baladent avec cinq mille francs sur elle, dit Pierre.

— De cela, on pourrait discuter, dit Herbert, mais ce n'est pas le moment. Ce qui est insensé, c'est d'aller ensuite voir la bonne femme comme vous dites. Vous ne lui avez pas laissé votre nom et votre adresse, par hasard ?

— J'ai vu le môme, dit Pierre. Il est formidable. Quand je pense que ce salaud de mec...

— Vous feriez mieux de penser à vous, dit Herbert. Vous êtes dans de mauvais draps, mon cher garçon.

— C'est pour ça que je suis là, dit Pierre. Qu'est-ce que je fais ? Je fous le camp ? Il me reste mille balles, je n'irai pas loin. »

Il se retrouva une heure plus tard, dans l'appartement d'Herbert où personne n'avait jamais pénétré. Herbert l'avait enfermé à double tour, en lui interdisant d'ouvrir les fenêtres et de se servir du téléphone.

« Ce que je fais là, je ne le ferais pour personne au monde, personne, vous entendez ? avait dit Herbert. Personne. »

Et Pierre avait répondu :

« Je sais. »

Herbert était reparti en disant qu'il y avait plusieurs solutions, mais qu'aucune ne lui plaisait entièrement et qu'il allait réfléchir. En attendant, l'essentiel était que Pierre soit introuvable et personne ne risquait de venir le chercher là.

Pierre, demeuré seul, commença par tourner en rond dans la chambre où Herbert l'avait laissé. Puis il s'aventura dans les autres pièces, et comme il n'avait rien à faire, il commença à lire un dossier, puis un autre, puis un autre.

C'était incroyable, la vie des gens...

*

Claire et Mike arrivèrent à Roissy trois quarts d'heure avant le départ du vol Paris-Athènes. Elle enregistra ses bagages et garda Beau-Chat qui miaulait, furibond, dans son sac à hublot.

Quand elle se présenta, avec Mike, à la porte d'accès vers les lignes internationales, deux hommes s'approchèrent et la prièrent courtoisement de les suivre.

Elle comprit immédiatement, dit seulement : « Débrouillez-vous pour récupérer mes bagages », en donnant ses billets.

« C'est déjà fait, madame, dit l'un des deux hommes.

– Où on va ? » dit Mike.

Claire répondit en anglais qu'il ne s'inquiète pas, elle lui expliquerait dès qu'ils seraient seuls. Ces messieurs n'avaient pas besoin de savoir ce qu'ils disaient tous les deux.

Dans la voiture noire qui s'engageait sur l'autoroute, elle feignit de dormir. Mike sortit Beau-Chat de son sac, le prit dans ses bras et lui fit la conversation en anglais.

Après quelques kilomètres, Claire s'étonna. La voiture ne roulait plus vers Paris.

« Où allons-nous ? dit-elle. Où m'emmenez-vous ?

– Ne craignez rien, madame, dit l'un des deux hommes. Il ne vous arrivera rien de fâcheux. »

Il insista :

« Je vous assure ! »

Mike se serra un peu plus contre sa mère. C'était un drôle de pays, la France.

« Tu vas trop vite, dit-il, on va t'arrêter et tu paieras très cher. »

Bientôt, en effet, deux motards sifflèrent et prirent en chasse la voiture qui s'arrêta. L'un des deux hommes montra une carte. Le motard salua, la voiture repartit et reprit de la vitesse. Décidément, c'était vraiment un drôle de pays, la France.

« Chez moi, dit Mike, tout le monde paie.

— Où est-ce chez toi ? dit l'homme qui était assis à côté de l'enfant, à l'arrière.

— En Amérique, dit Mike. On peut pas s'arrêter ? Je commence à avoir mal au cœur.

— Non, dit l'homme, je regrette beaucoup, mon petit ami, on ne peut pas s'arrêter.

— Je ne crois pas que je suis ton petit ami », dit Mike.

Claire le pria fermement, en anglais, de se taire et de patienter.

Enfin, la voiture franchit une grille gardée par des hommes en uniforme, pénétra dans un parc à la française, roula sur le gravier et s'arrêta devant une belle maison ancienne, du XVIIIᵉ enregistra machinalement Claire. Elle descendit en tirant sur sa robe de toile froissée. Quand Mike la suivit, Beau-Chat s'échappa de ses bras et disparut.

Claire prit Mike par la main pour pénétrer dans la maison.

« C'est grand ici, dit Mike, c'est plus grand que chez nous. »

Le valet les fit entrer dans une pièce de belle allure dont les portes-fenêtres donnaient sur le parc. Venant de ce parc, un homme marcha vers la maison, s'appuyant sur une canne.

Quand il parut, dans l'encadrement de la porte-fenêtre, il dit :

« Enfin, te voilà. Alors, pour te voir, il faut que je me serve des forces de l'ordre, maintenant !

– Qui c'est celui-là ? » dit Mike.

Castor le regarda.

« Bonjour, dit-il.

– Bonjour. Je m'appelle Mike. Et toi ? dit Mike.

– Moi ? dit Castor. Moi on m'appelle le Président.

– C'est chez toi, ici ? dit Mike.

– C'est chez moi aussi, dit Castor.

– Alors tu dois savoir où est la salle de bain », dit Mike.

*

Cet après-midi-là, la jeune fille de la maison d'édition frappa en vain à la porte de Pierre. Ils avaient rendez-vous à cinq heures. Elle attendit un moment, repartit, revint vers sept heures et demie. Ils étaient convenus de dîner ensemble. Pas de Pierre. Un bizarre garçon. Séduisant, fragile, un peu inquiétant. Les lapins, elle n'appréciait pas qu'on lui en pose. On peut dire au revoir, je me tire, mais on est poli. Elle lui revaudrait ça.

La soirée était chaude et claire encore. Elle fit quelques pas dans la rue de Vaugirard, incertaine, longeant boutiques et restaurants qui affichaient « Fermé jusqu'au 1er septembre » et finit par se retrouver au croisement de la rue de Rennes. Il y avait Lipp, au bout de la rue, ouvert en août, et où elle rencontrerait sûrement l'un ou l'autre. Un peu cher pour elle, ce serait plus sage de rentrer, mais par ces longues soirées d'été, qui a envie de rentrer ?

Elle passa au Drugstore pour acheter un journal, puis des cigarettes, et aperçut dans la petite boutique d'alimentation un gros homme qu'elle connaissait de vue. Elle le salua vaguement, il répondit distraitement.

Lipp était bourré. Mais si elle voulait attendre... Dans trois quarts d'heure. Elle chercha des yeux un visage connu, n'en trouva aucun et s'assit, en soupirant, à la terrasse où une place venait de se libérer... Vivement les vacances, elle partait le 14 en Bretagne, chez sa mère. C'était devenu beaucoup plus dans le vent les vacances en Bretagne ou dans le Morvan que les voyages à Bangkok. Et ce n'est pas qu'elle le faisait exprès, elle n'y pensait guère, c'était spontané, chez elle, d'être dans le vent.

Ce dont Herbert se munissait, dans la boutique du Drugstore, c'était de ravitaillement pour Pierre.

Le gros homme prenait tous ses repas hors de chez lui, et la cuisine vétuste qui occupait le fond de son appartement, au bout d'un couloir, ne le voyait que pour faire chauffer, le matin, l'eau du thé.

Il prit un taxi, rentra chez lui chargé de provisions variées et trouva Pierre assis devant la télévision.

« Il faut que je vienne chez vous pour regarder ça, en éteignant le poste. C'est débile, non ?

– Ça dépend », dit Herbert.

Il fouilla dans un bahut pour trouver de la vaisselle dépareillée, mit le saumon fumé sur une assiette, la charcuterie sur une autre, le gâteau au chocolat sur une troisième, chercha sans succès un grille-pain introuvable pour le pain de mie, remplit un saladier d'une masse de fruits, finit par extirper du bahut des verres poussiéreux qu'il lava sur son lavabo et essuya avec une serviette-éponge. Il avait débarrassé une petite table encombrée de dossiers pour y poser le tout et tira deux chaises.

Pierre le regardait s'affairer, mi-attendri, mi-goguenard.

« Vous êtes un père pour moi », dit-il.

Herbert eut un regard aigu, qui donna fugitivement à son visage, simultanément rajeuni et vieilli par les kilos perdus, la physionomie qu'il avait dû avoir trente années plus tôt.

« J'ai oublié le beurre, dit-il, navré.

– On oublie toujours quelque chose », dit Pierre, conciliant.

Il s'assit, disant qu'il la sautait et se proposa pour déboucher les bouteilles.

« On étouffe ici, dit-il. Laissez-moi ouvrir une fenêtre...

— Non, dit Herbert, au contraire. La nuit tombe, je vais tirer les rideaux avant que nous allumions. On ne sait jamais qui vous regarde, de l'autre côté de la rue. »

Il ferma soigneusement des tentures épaisses.

« Vous avez eu une idée ? demanda Pierre.

— J'ai une carte d'identité, dit Herbert. Un passeport, c'est plus compliqué et ça aurait été trop long. Mais avec ça, on peut voyager maintenant, en Europe. »

Il montra la carte établie à un faux nom avec les initiales de Pierre.

« Où avez-vous trouvé cette photo ? dit Pierre, étonné.

— J'ai beaucoup de photos de vous, dit Herbert. Vous ne vous rappelez pas, le jour où nous sommes allés déjeuner au Bois ? Vous m'avez demandé ce que je tenais à la main... »

Il sortit de sa poche un appareil grand comme un briquet.

Herbert avait aussi un billet pour Genève, au premier avion du matin.

« Il y a un risque, dit-il, si votre signalement a été donné aux frontières, mais ça m'étonnerait. Ils doivent chercher en France où se terre un petit voyou minable qui cherche à monnayer le produit d'un vol. Néanmoins, nous allons vous plâtrer la jambe. Vous marcherez avec des béquilles.

— Un bon truc pour se faire remarquer, dit Pierre.

— Justement, on remarque l'éclopé, pas le passager. Une hôtesse vous aidera et vous passerez comme une lettre à la poste.

— Et après ? dit Pierre. Ça coûte un fric fou, la Suisse. »

Herbert dit qu'il avait de l'argent là-bas, que ce n'était pas le problème.

Pierre n'était pas enthousiaste.

« J'aime encore mieux me faire piquer, dit-il, s'ils me piquent...

– Si vous voulez, dit Herbert. Vous donnerez une grande joie à Madame votre mère lorsqu'elle l'apprendra. »

A six heures quinze du matin, un jeune homme marchant avec des béquilles, la jambe droite plâtrée, descendit d'un taxi à Orly ouest. Le chauffeur l'aida à quitter la voiture. Dans le hall, une jeune fille ramassa l'une des béquilles qu'il avait laissé échapper, une hôtesse le fit embarquer avant les autres voyageurs et l'assit au premier rang pour qu'il puisse allonger sa jambe.

Herbert lui avait recommandé de se présenter, en arrivant, chez un médein de Genève, un vieil ami qui le délivrerait de son plâtre.

« Mais il verra que je n'ai pas de fracture, avait dit Pierre.

– Il sera prévenu », avait répondu Herbert.

L'entrée en Suisse se fit aussi facilement que la sortie de France.

En quittant Pierre, Herbert lui avait repris la lettre de Tokyo pour la glisser dans son portefeuille en disant : « S'il vous arrive quelque chose, ce sera notre dernière cartouche... Mais vous seriez capable de la tirer en l'air... »

A l'aéroport de Cointrin, Pierre prit un taxi et se fit déposer à l'adresse du médecin. Il était fort tôt, celui-ci ouvrit lui-même.

« Ma jambe me fait souffrir... Je crois qu'il faudrait changer le plâtre... dit Pierre.

– Nous allons voir, dit le médecin. Venez par ici. »

Il l'introduisit dans son cabinet.

« Votre nom, votre adresse ? » demanda-t-il, prenant une fiche.

Pierre donna son nom d'emprunt et, selon les instructions de Herbert, indiqua qu'il arrivait de France et cherchait une pension de famille tranquille, le temps de se reposer quelques jours.

« Il y en a plusieurs », dit le médecin.

Il délivra la jambe prisonnière.

« Votre fracture est guérie, dit-il. Mais ne faites pas d'imprudence. »

Puis il ouvrit un coffre, en sortit quelques billets en disant : « Si vous souffrez, prenez ceci. Mais n'en abusez pas. »

Pierre mit les billets dans sa poche.

« Voulez-vous une pension sur le lac ? demanda le médecin.

— Pourquoi pas, dit Pierre.

— Je vais vous noter l'adresse », dit le médecin.

Il lui tendit un papier où figurait effectivement une adresse.

« Merci, dit Pierre.

— Vous me devez soixante-quinze francs, dit le médecin. Au revoir, monsieur. N'oubliez pas vos béquilles, voyons... Je vous ai dit d'être prudent... »

En sortant du bureau du médecin, Pierre aperçut une jeune femme qui le raccompagna jusqu'à la porte.

Il se retrouva dans la rue, éberlué, et partit sagement en clopinant jusqu'à ce qu'il trouve un taxi.

Il se fit déposer devant un grand magasin, fit quelques emplettes, une petite valise, des objets de toilette, un peu de linge.

La pension de famille se trouvait bien au bord du lac.

Comme la ville paraissait paisible, assise devant cette eau plate...

*

De bon matin, Herbert, muni de la clef de Pierre, était passé prendre les feuillets du manuscrit sur lequel le jeune homme travaillait pour les expédier aussitôt à Genève. Il fallait qu'il ait de quoi s'occuper, ce cher garçon toujours si prompt à se trouver des distractions périlleuses.

Lorsqu'un inspecteur vint frapper à la porte de la chambre meublée, il ne trouva, épinglé, qu'un message de la jeune fille qui avait en vain attendu Pierre.

Herbert l'avait remis en place après l'avoir lu.

Quelques heures plus tard, un autre inspecteur se présentait à Nice chez la mère de Pierre. Il tomba sur un groupe de femmes vêtues de noir, qui parlaient bas. La mère de Pierre dit qu'il était parti depuis plusieurs jours déjà. Non, elle ne savait pas où il se trouvait.

« Vous croyez que c'est le moment ? » dit à l'inspecteur une des femmes indignées.

Le Colonel avait trépassé, en effet.

« Si votre fils vient pour l'enterrement, dites-lui qu'il passe nous voir, dit l'inspecteur. Un renseignement à lui demander. »

Que Pierre vienne pour l'enterrement, ils pouvaient y compter ! Mais qu'avait-il encore fait ?

Dans le même temps, tous les hommes grands, jeunes et bruns qui avaient été repérés et interrogés lors de l'incident à la radio étaient à nouveau convoqués, recherchés et priés de se tenir à la disposition de la police, ce qui empoisonna les vacances de quelques-uns, plongea des familles dans l'inquiétude et diminua de quelques unités le nombre d'électeurs potentiels du président de la République.

L'informateur de Herbert à la P.J. lui confirma qu'on s'agitait de nouveau à propos de cette histoire. Le gros homme se félicita d'avoir agi rapidement.

C'était la deuxième fois, au cours d'une longue existence fertile en péripéties de toute sorte, que Herbert était mû par la passion. La première fois, il l'avait payé si cher, mutilé à jamais dans le plus intime de sa chair, et laissé pour mort dans un terrain vague, qu'il se croyait guéri pour l'éternité.

Partageant avec un personnage éminent de la République une attirance incoercible pour les jeunes gens musclés de préférence aux jeunes filles en fleur, il s'était trouvé en situation de lui épargner, par sa présence d'esprit, un sort analogue.

L'autre n'avait pas été ingrat.

Un dossier portant trace d'un passé tumultueux fut opportunément expurgé. Herbert avait acquis une physionomie honorable, une situation confortable et, à travers *La Lettre H,* un pouvoir délectable dont il usait avec discernement.

Et voilà qu'à soixante-cinq ans ou presque, ce cher garçon...

Oui, mais depuis qu'il le connaissait, lui qui disait, parlant de lui-même : « Je suis mort, ça ne se voit pas, mais je le sais... », depuis qu'il connaissait Pierre, il était vivant, et ces choses-là n'ont pas de prix.

Imprudent, le vieil Herbert ? Allons donc !

Où serait-elle demain, après-demain, dans un an, cette cohorte de gens prudents, d'hommes prudents qui périssaient d'ennui dans la morne grisaille de leurs jours et de leurs nuits, plats comme du pain sans levain. aigres comme du raisin sans soleil, fades comme des œufs sans sel, allumettes craquées une fois pour toutes, et encore certains n'avaient même pas produit la moindre petite flamme, prudents, prudents, jusqu'à ce que la planète saute et eux avec ? Herbert pensa qu'il avait, lui, cette chance insensée d'être habité, dévoré, incendié. Les circonstances avaient mis Pierre entre ses mains. Il n'avait pas d'illusions sur les sentiments du cher garçon à son égard... Un jeune homme immature qui avait un goût suicidaire du danger et qui le trouvait commode, le vieil Herbert, un peu bizarre, un peu trouble mais si effectivement paternel, si riche de connaissances, toujours disponible...

Non, la passion ne l'aveuglait pas, Herbert. Elle l'éclairait, au contraire, sur ce qui pouvait encore donner une signification, un sens à sa vie : l'amour fou, dût-il être inéluctablement platonique. Le plus fou des amours. Le plus assuré de pérennité.

Au mois d'août il suspendait chaque année la publication de *La Lettre H* entre le 5 et le 20. Il assura le bouclage du numéro en cours, mit son courrier en ordre, une jolie somme dans la main du vieux Russe de quatre-vingts ans qui l'avait connu enfant, l'appelait Ivan Alexeievitch et venait régulièrement le taper.

Enfin, il rentra chez lui faire une valise.

*

Mike, guidé par un valet, avait trouvé ce qu'il appelait la salle de bain, ignorant à cet égard les mœurs françaises.

En sortant, il s'était inquiété de Beau-Chat. Le valet avait dit que l'animal devait être dans le parc, et Mike était parti à sa recherche.

Dans le salon, Claire fixait obstinément un tapis de la Savonnerie, se refusant à regarder Castor comme à lui répondre.

« Tu m'en veux ? disait Castor. Je ne pouvais pas faire autrement puisque tu refusais ta coopération. »

Il répéta ce que Pollux avait déjà plaidé auprès de Claire : elle était le seul témoin en situation de confondre le détenteur de la lettre de Tokyo s'il se trouvait parmi les suspects que l'on était en train de rassembler ou parmi ceux que la police interpellait à travers tout le territoire. Et Pollux attendait qu'elle en dessine un portrait au moins approximatif.

Dessiner, elle pouvait y consentir, mais à condition que Castor la libère. La porte s'ouvrit brusquement devant Mike tragique.

« Beau-Chat est perdu ! dit-il.

— Mais non ! dit Claire, on va le retrouver.

— Non, dit Mike. Il est perdu. »

Et, submergé de fatigue, d'émotion, d'angoisse diffuse devant tant d'aventures inexplicables, il éclata en sanglots.

154

« Ne pleure pas, dit Castor. Un homme ne pleure pas.

— Toi, dit Mike, à travers ses larmes, tu m'embêtes. C'est de ta faute si Beau-Chat est perdu. »

Claire intima à Castor l'ordre de laisser Mike pleurer tranquille et entreprit d'apaiser l'enfant en lui promettant que Beau-Chat réapparaîtrait quand il en aurait envie. Que les chats retrouvent toujours leur chemin.

Castor ne comprenait rien à cette histoire de chat. Claire l'éclaira.

« Bien, dit-il. Il n'y a pas de quoi en faire un drame. »

Mike lui jeta un regard noir.

« Qu'est-ce qu'on fait ici ? dit-il à sa mère. Je veux m'en aller.

— Moi aussi, dit Claire. Mais, tu vois, nous avons été faits prisonniers et ce monsieur ne veut pas nous libérer.

— On va s'ennuyer, dit Mike. Il n'y a même pas de télévision ici.

— Tu auras trois télévisions si tu veux, dit Castor. Et même un cheval puisque tu aimes les chevaux. »

L'équitation était l'un des rares sports que Castor pratiquait parfois, sur un cheval doux. Ça avait été l'un de ses exploits, lorsqu'il s'était rééduqué, après sa maladie.

« Viens avec moi, dit Castor. Nous allons nous en occuper. »

Tout le personnel de la résidence fut mis en émoi. Une demi-heure après, Mike trottait sur un animal aimable, et Castor l'observait avec satisfaction.

Le déjeuner fut plus délicat. En rentrant, Mike avait demandé où était la cuisine.

« La cuisine ? Je ne sais pas, avait dit Castor. Qu'est-ce que tu veux faire à la cuisine ?

— J'ai faim », avait répondu Mike.

Castor avait faim, lui aussi. Il était déjà plus de deux heures. Ils retrouvèrent Claire dans le salon. Elle n'avait pas bougé.

« Eh bien, dit Castor, tu ne t'es pas installée ? Veux-tu que l'on te montre ta chambre ?

– Non, dit Claire.

– Bien, dit Castor. Très bien. »

Le valet vint annoncer que Monsieur le Président était servi, et emmena Mike se laver les mains.

« Il monte bien, dit Castor, mais il est familier avec les domestiques.

– Il ne sait pas ce qu'est un domestique, dit Claire, et j'espère bien qu'il continuera. »

Les choses se gâtèrent lorsque Castor interrogea Mike sur l'histoire de France. Il n'en connaissait pas le plus petit morceau et ne pouvait pas citer un nom, La Fayette mis à part.

« Mais enfin, dit Castor, outré, qu'est-ce qu'on t'apprend à l'école ?

– Mon école, elle est très bien, dit Mike. On est les premiers en football. Et je suis le meilleur en natation. S'il y avait une piscine ici, je te montrerais. Mais il n'y a que de l'eau dégoûtante. »

Castor voulut savoir ce que Mike comptait faire lorsqu'il serait grand. Mike ne savait pas. Cosmonaute peut-être, ou bien il s'occuperait d'animaux. Le père de l'un de ses camarades de collège avait un ranch. C'était un bon endroit.

Un ranch !

« Je vais te raconter quelque chose », dit Castor.

Et il raconta l'histoire d'un petit garçon dont le père était boulanger, dans une petite ville de la province française, et qui était tellement doué pour les études qu'il était toujours premier en classe. Sa mère disait : « Il fera Polytechnique... » Mais à treize ans, il était tombé malade. Cependant, à force de volonté, il avait rattrapé le temps perdu et surmonté le handicap de sa maladie. A cause de sa jambe, il n'avait pas pu choisir Polytechnique, qui était une école militaire, mais il avait préparé un concours encore plus difficile, celui de l'Ecole normale et quand il l'avait réussi premier, sa mère avait pleuré de joie.

Claire le regardait s'attendrir sur lui-même, racontant

156

l'édifiante histoire du petit garçon du boulanger qui avait si bien travaillé qu'il était devenu Président.

« Président de quoi ? demanda Mike, outre quelques questions en cours de récit.

— Président de la France, dit Castor.

— C'est petit la France, dit Mike.

— Non, dit Castor. C'est très grand. Je vais t'expliquer. »

Il avait fait servir le café à table, comme il aimait, et Mike commençait à trépigner, assis depuis une heure.

« Tu m'expliqueras un autre jour », dit Mike.

Il se leva, poussa l'une des portes-fenêtres et sortit dans le parc en appelant Beau-Chat.

— On ne peut pas dire qu'il soit mal élevé, dit Castor, en le suivant du regard, mais il a des manières curieuses. »

Claire persistait à se taire, obstinément. Elle avait à peine touché au déjeuner raffiné, cependant.

« Quand lui diras-tu ? demanda Castor.

— Je ne sais pas, dit Claire. Tu as tout embrouillé. Si je lui annonçais maintenant que tu es son père, que crois-tu qu'il ferait ? Qu'il te sauterait au cou ? Tu le retiens prisonnier, tu l'ennuies, tu l'obliges à se tenir droit devant trois verres de cristal et six couverts en argent; le maître d'hôtel lui demande : « Monsieur prendra-t-il un peu de « champignons ? » Il ne sait pas à qui on parle et il n'a jamais vu un champignon; il a envie d'être à la mer avec ses amis, il est en train de se promener tout seul dans un parc à la française autour d'une pièce d'eau où on lui interdit de nager, et il a perdu son chat à cause de toi. »

Castor se leva en soupirant.

« Je n'ai pas la pratique des enfants, que veux-tu... Nous allons nous occuper du chat. »

Il fit appeler le chef des services qui assuraient sa sécurité et lui expliqua qu'il convenait de charger tous les hommes dont il disposait d'une mission un peu particulière : retrouver un chat siamois en promenade dans le parc. Ou au-delà.

« Ce sera fait, Monsieur le Président, dit le zélé serviteur, imperturbable.

– Tu ferais mieux de nous laisser partir, dit Claire, au lieu de démontrer ta toute-puissance. Laisse-moi partir... Je t'en prie.

– Non », dit Castor, sec.

Mike revenait, désœuvré et renfrogné, après avoir exploré quelques buissons taillés au cordeau. Il avisa, posé sur une table de bois de rose, un échiquier précieux.

« Tu joues avec moi ? demanda-t-il à sa mère.

– Je veux bien, mais je ne sais pas, dit Claire. Tu veux m'apprendre ?

– Moi je sais, dit Castor. Tu veux jouer aux échecs ? A nous deux, mon garçon. »

Cette fois, ce fut Claire qui soupira. Elle laissa les joueurs en tête-à-tête et monta dans la chambre où sa valise avait été défaite, ses vêtements suspendus et rangés. Elle s'étendit sur le lit à baldaquin et doucement pleura.

Quand Pollux arriva, vers cinq heures, Castor avait fait quelques progrès, c'est-à-dire qu'il avait laissé Mike le mettre mat à la première partie, et qu'il avait gagné la seconde.

« Tu es assez fort, avait dit Mike, mais dans cinq ans, je te battrai toutes les fois. »

Ambition qui avait rempli Castor de satisfaction, outre que Mike ne se débrouillait pas mal du tout au jeu royal.

Mike fut poli avec Pollux et demanda :

« Toi aussi, il t'a fait prisonnier ?

– Oui, dit Pollux. C'est un bandit. Il est terrible.

– Ne lui raconte pas des histoires pareilles, dit Castor indigné.

– Je ne dis que la vérité », dit Pollux.

Mike réclama sa mère. Le valet fut chargé de le guider jusqu'au premier étage. Il s'étendit auprès d'elle. Enfin l'orage qui avait menacé toute la journée éclata.

« Il est charmant ce petit bonhomme, dit Pollux, sui-vant Castor dans son bureau. Il est beau comme Claire, et en même temps, c'est curieux comme il te ressemble.

– Il n'y a rien de curieux, dit Castor. C'est mon fils. »

Maintenant, la pluie battait les vitres et il faisait sombre tout à coup. Il y eut un éclair, puis le tonnerre gronda.

« J'espère qu'il n'a pas peur de l'orage, dit Castor. Moi, à son âge, j'avais peur. J'allais me cacher. »

Il s'était assis dans une demi-pénombre, derrière son bureau. Un volet claqua, puis un autre. Il y eut de l'agita-tion dans la maison, on entendit des fenêtres s'ouvrir et se fermer, des bruits de voix.

« Pourvu que l'on retrouve son chat, dit Castor. Il ne me le pardonnera pas... »

Deux éclairs illuminèrent la pièce, puis ce fut la foudre, proche.

« Je n'aime pas l'orage », dit Castor.

Il y eut un grand bruit, sans doute une cheminée qui tombait, emportée par le vent.

Castor sonna.

« Dites à Madame que si l'orage l'indispose, elle peut nous rejoindre », dit Castor.

Le valet monta pour transmettre le message. Il trouva Claire et Mike accoudés à la fenêtre, à moitié trempés, appelant Beau-Chat.

Les hommes qui patrouillaient dans le parc et la forêt étaient rentrés bredouilles, se mettre à l'abri.

Mike était désespéré.

« Nous n'avons aucune envie de descendre, dit Claire. Merci.

– Madame n'a aucune envie de descendre », vint répé-ter le valet.

La porte-fenêtre du bureau s'ouvrit brusquement sous la poussée du vent. Le valet se précipita pour la fermer, tira les rideaux alluma une, deux, trois, quatre lampes. La pièce reprit son air niais et solennel. Castor se redressa, demanda un whisky et dit :

« Alors, Monsieur le Ministre de l'Intérieur, où en sommes-nous ? »

Pollux décrivit rapidement le dispositif qu'il avait mis en place. Le dessin de Claire reproduisant approximativement le souvenir qu'elle avait gardé de Pierre, apporté par un motard à Paris, avait été aussitôt diffusé partout, y compris aux postes frontières. Cette fois, il tomberait fatalement dans le filet. Mais il fallait garder Claire jusqu'à ce que le coupable fût capturé.

« Elle n'est pas accommodante, dit Castor. Mais nous la garderons. »

Pollux l'entretint alors de diverses questions également préoccupantes. Les manifestations paysannes prenaient de l'ampleur, les contrôleurs aériens menaçaient de se mettre en grève pour le week-end du 15 Août, le Premier Ministre souhaitait consulter le Président et attendait son appel à partir de dix-sept heures trente. Il aurait des nouvelles à lui donner.

Castor était au téléphone lorsque le valet apporta le whisky, et dit à Pollux :

« Le chef de la sécurité voudrait voir le Président... Il paraît que c'est urgent...

— Il peut entrer, dit Pollux. Le Président a fini. »

Castor raccrochait.

« Il dit qu'il ne peut pas entrer, Monsieur le Ministre.

— Qui ne peut pas entrer ? dit Castor.

— Le chef de la sécurité, Monsieur le Président. Et il a besoin de vous parler d'urgence.

— Qu'est-ce que c'est que cette histoire », grogna Castor.

Il se leva et sortit dans le hall, suivi de Pollux.

Là, deux hommes en bottes boueuses, figés sur le parquet précieux, prièrent respectueusement Monsieur le Président de bien vouloir les excuser mais dans cet état, sur les tapis..., ils n'avaient pas osé... Le chat était réfugié au sommet d'un arbre d'où l'on tentait, depuis une petite heure, de le faire descendre... L'échelle des jardiniers n'était pas assez haute. D'ailleurs, à peine s'approchait-on, le chat sautait sur une autre branche.

« Qu'est-ce que vous suggérez ? dit Castor. Je crains que, même à moi, cet animal n'obéisse pas. Où est-il cet arbre ?

– A huit cents mètres environ, Monsieur le Président. Mes hommes l'entourent. Si nous partons, la bête descendra pour se mettre à l'abri. Mais elle nous glissera entre les mains. C'est ficelle, ces bêtes-là.

– Je ne vois qu'un moyen, dit Pollux. Il faut que Mike aille le chercher.

– C'est aussi ce que je crois, Monsieur le Ministre. C'est notre seule chance... »

Ce fut une rude affaire. Castor s'était déplacé, dans sa voiture, avec Pollux, disant qu'il voulait voir ça. Mais pour atteindre le hêtre roux plusieurs fois centenaire au sommet duquel Beau-Chat avait élu domicile, il fallut franchir un sentier boueux. La pluie s'était apaisée et, de nouveau, il faisait jour. Mais Claire, pieds nus dans des sandales d'été, se couvrit de boue tandis que Mike criait : « Où est-il ? Où est-il ? »

Cernant l'arbre somptueux, six hommes saluèrent et désignèrent une tache claire, tout en haut, au milieu des feuillages.

Claire appela Beau-Chat de sa voix la plus tendre, Mike également. En vain.

« J'y vais, dit Mike.

– Fais attention ! dit Claire. Ne l'approche pas de face.

– Je sais », dit Mike qui, en quatre jours, était devenu expert en chats.

Il escalada tous les barreaux de l'échelle, puis, s'aidant à chaque fois d'une branche plus haute, se trouva à portée de celle d'où Beau-Chat, intéressé, l'observait, assis sur son derrière.

D'en bas, douze têtes levées le regardaient. Le temps passait.

« Mais qu'est-ce qu'il fait ? dit Castor.

– Il lui parle », dit Claire.

Mike, immobile, appelait doucement Beau-Chat, lui disant toutes sortes de choses aimables. Puis il se tut et feignit de regarder ailleurs. Deux minutes s'écoulèrent. Enfin, Beau-Chat avança une patte précautionneuse puis l'autre, sauta sur la branche que chevauchait Mike et s'allongea devant lui.

Mike le prit sous son bras. Maintenant il fallait redescendre.

« Il va se tuer. Ça n'a pas l'air de t'émouvoir, cette folie », dit Castor à Claire, la voix lourde de reproche.

Claire ne daigna pas répondre.

Mike, perplexe, jaugeait la situation. Comment rejoindre l'échelle en se servant d'une seule main ? Il appela :

« Maman ? Tu me vois ?

– Oui, dit Claire, d'une voix calme.

– Je saute ?

– Non, dit Claire. Ne bouge pas. Je viens. »

Quand elle fut en haut de l'échelle, Mike lui tendit Beau-Chat. Et il dégringola en se servant des branches, tandis que sa mère descendait par l'échelle. Enfin, ils se retrouvèrent tous les trois au pied de l'arbre, Beau-Chat léchant la main de Claire de sa langue râpeuse.

« C'était haut, dit Mike.

– Oui, dit Claire. C'était très haut. »

Mike lui prit la main, l'entraîna vers la jeep des hommes de la sécurité et dit à celui qui la conduisait : « Je voudrais que tu nous ramènes, s'il te plaît. Je suis fatigué. »

Le chef fit signe au conducteur qu'il pouvait aller.

Castor avait assisté à la scène, sidéré. Il regagna sa voiture, suivi par Pollux qui n'avait pas dit un mot, et prit place.

« Eh bien, dit-il, vous montez ?

– Je vous rejoins à pied, dit Pollux, j'ai besoin de marcher.

162

« – Comme vous voudrez. Allez », dit Castor au chauffeur.

La voiture démarra.

« Vous avez vu ? dit Castor.

– Oui, Monsieur le Président, dit le chauffeur. Il est courageux comme sa mère, ce petit gars-là.

– Et moi, dit Castor, je ne suis pas courageux ? »

Le chauffeur jeta un coup d'œil dans le rétroviseur. On entend mal, à l'avant, ce que disent les passagers assis à l'arrière.

Lorsque Claire descendit de sa chambre à huit heures, Pollux était reparti. Elle ne lui avait pas adressé la parole.

« Où est-il ? demanda Castor.

– Je l'ai fait dîner et il est couché, dit Claire.

– Bien, dit Castor déçu, très bien.

– Les lits à baldaquin, c'est très joli, dit Claire, mais l'eau chaude est tiède. »

Elle s'était tout de même baignée et changée contre son gré, parce que, dans l'escalade, elle avait déchiré sa robe.

« Le noir te va bien », dit Castor, sans obtenir ni réponse ni sourire.

Ils passèrent à table en silence.

Tout ce que Castor possédait de charme, il le déploya pour réussir à faire parler Claire, à la détendre. Il fut brillant, profond, léger, instructif, divertissant, mais elle était aussi inaccessible que Beau-Chat sur son arbre.

« Dans deux ou trois jours, tu seras libre, dit enfin Castor. « Pourquoi dormir tout éveillé et gagner la jau-« nisse à force d'être grognon ? »

– « Qui me choisit obtiendra ce qu'il mérite », répondit Claire du tac au tac.

Il ne la collerait pas sur Shakespeare ! Mais le reproche lui avait été sensible. Grognon ? Elle qui n'oubliait jamais de se débarbouiller de toute tristesse avant de se montrer.

« Est-ce qu'il apprend ces choses-là ? dit Castor. Mike apprend-il ces choses-là ?

– Je ne crois pas, dit Claire. En tout cas, pas encore. Mais il sait programmer son ordinateur. »

Castor dit qu'il n'avait, certes, aucun droit sur cet enfant – aucun, approuva Claire – mais que, tout de même, il s'étonnait. Pourquoi l'avait-elle emmené si loin ? Claire dit qu'à l'origine, il fallait bien qu'elle mette au moins un océan entre elle et Castor. Sinon, elle aurait succombé. Ensuite... Eh bien, les choses s'étaient arrangées ainsi grâce à Julie, sa vraie famille, sa sœur d'élection et pour Mike, elle s'en félicitait.

« D'ailleurs, dit-elle, je compte m'installer aux Etats-Unis, moi aussi. »

Il faisait beau de nouveau, et la nuit tombante était tiède. Castor demanda si Claire voulait faire quelques pas avec lui dans le parc. Elle accepta.

« Alors, dit Castor, il est né aux Etats-Unis. Donc, il peut en devenir président. »

Claire avoua qu'elle n'y avait pas pensé... mais oui, en effet... Cependant, s'il ne tenait qu'à elle, cela ne risquait pas de se produire.

« Tout de même, dit Castor, reconnais que ce serait drôle !

– Drôle pour qui ? » dit Claire.

Castor hocha la tête. Décidément, les femmes étaient devenues impossibles. Du temps qu'elles n'avaient pas le droit d'avoir de l'ambition pour elles, elles savaient porter leurs fils à bout de bras, leur injecter le désir de s'élever, d'atteindre au plus haut... Maintenant, elles vous parlaient de les rendre heureux. Pas étonnant qu'ils deviennent des moules, des invertébrés, des...

Le secrétaire général de l'Elysée demandait que le Président veuille bien le rappeler.

Castor remonta vers la maison, de son pas lent et lourd.

*

A Genève, Herbert avait trouvé Pierre de méchante humeur. Que faisait-il là, dans cette ville inconnue, sous un faux nom? Dans quel guêpier s'était-il fourré? Qui était cet étrange médecin? Et, à la fin, qui donc était Herbert?

Ils déjeunaient, en plein air, au bord du lac immobile.

Pierre détestait les lacs. Et puis, il était incapable de se remémorer un vers d'Hölderlin où il était question de déchirer les lacs. Tatatatatatatata et déchire les lacs.

« Combien de fois m'avez-vous dit que vous en aviez, je cite, marre de ce pays de cons, fermez les guillemets, et que vous aviez envie d'être ailleurs? dit Herbert. Eh bien, vous êtes ailleurs, profitez-en au lieu de poser des questions stupides. Ce restaurant est excellent. L'hôtel est confortable. Le pays est beau. Je suppose que vous avez encore de l'argent mais si vous en manquez, c'est facile. Le climat est lénifiant, c'est bon pour vous.

– De l'argent, de l'argent, dit Pierre. Je ne suis pas une putain.

– Qui a dit cela, mon cher garçon? Vous n'êtes qu'un petit voleur qui devrait coucher en ce moment en prison.

– Je m'emmerde, dit Pierre. Je m'emmerde à crever. »

Herbert proposa un film, Pierre l'avait déjà vu, un musée, Pierre se foutait de la peinture, un concert, pourquoi pas un bridge avec deux vieilles dames et je ferai le mort, dit Pierre.

L'amour non partagé, c'est le premier cercle de l'enfer, pensa Herbert, mais le second eût été de perdre l'objet de cet amour.

« Et d'abord, qu'est-ce que vous foutez ici avec moi, dit Pierre, au lieu de vous occuper de votre canard? Un petit trafic, hein? Un trafic de quoi?

– J'ai de l'amitié pour vous, dit Herbert. Une grande amitié, il me semblait que vous l'aviez compris. »

Pierre se leva brusquement.

« Je rentre à Paris. »

Herbert ne fit pas un geste, ne dit pas un mot.

« Vous entendez ? » dit Pierre.

Le gros homme resta immobile.

« Donnez-moi la lettre, dit Pierre.

– Quelle lettre ? dit Herbert.

– La lettre du mec, dit Pierre. Donnez-la-moi. Elle est à moi.

– Ne criez pas, je vous prie, dit Herbert. Partez ou restez, mais dans ce cas, asseyez-vous. Nous sommes ici dans un endroit convenable où je suis honorablement connu. »

Pierre se rassit.

« Donnez-moi cette lettre ou je vous casse la gueule, dit-il plus bas, et il ne vous restera plus dix dents pour croquer vos sucreries. »

Herbert tira lentement son portefeuille de la poche intérieure de sa veste. Pierre le saisit, en sortit la lettre, se leva et partit.

« Pierre ! » cria Herbert.

Des têtes se tournèrent vers lui. Le maître d'hôtel qui observait la table depuis quelques instants s'approcha.

Herbert se reprit.

« Il a oublié son briquet, dit-il, montrant le sien. L'addition, je vous prie.

– Mais vous avez déjà réglé, monsieur Herbert », dit le maître d'hôtel.

Bien sûr ! Où avait-il la tête ? Décidément tout le monde était distrait, aujourd'hui.

Il bavarda un instant avec le maître d'hôtel. Y avait-il beaucoup de monde à Genève ? Beaucoup d'étrngers, oui, comme d'habitude. Et comment était le temps ces derniers jours ? A Paris aussi il faisait très chaud. Eh bien, je vais aller faire un tour chez Davidoff. A bientôt.

En sortant, il passa devant la table d'un confrère allemand qui l'arrêta pour l'interroger sur les répercussions, en France, du voyage du Chancelier à Moscou et de ses déclarations.

Herbert essuya de son mouchoir son front en sueur.

« Asseyez-vous, dit l'Allemand. Vous n'avez pas l'air bien...

– Ce n'est rien, dit Herbert. Un petit malaise. Il fait très chaud. »

Il s'assit et demanda un verre d'eau.

Enfin, il se retrouva dehors et héla un taxi.

A l'hôtel, il vit, en prenant sa clef, que celle de Pierre n'était pas au tableau, derrière le concierge.

Il frappa chez le jeune homme.

« Entrez ! » dit Pierre.

Le garçon avait laissé la clef sur la porte. Herbert entra. Pierre était assis, torse nu, à sa table.

« Je travaille, dit-il. On se voit tout à l'heure ? Si vous me trouviez un Hölderlin ? Il doit bien y avoir dans cette foutue ville...

– Certainement, dit Herbert. Je vous laisse. »

Ô souffrance, ô bonheur, ô dieux cruels, le vieil Herbert va courir, dans la chaleur molle d'un après-midi d'août, pour trouver ce tatatatatatata et déchire les lacs.

Quand il devrait y aller à genoux, il irait.

*

Claire se lavait les cheveux dans sa chambre.

Castor travaillait dans son bureau lorsqu'une balle frappa la vitre de la porte-fenêtre entrouverte. L'un des hommes de la sécurité vint, priant le Président de bien vouloir l'excuser et repartit en courant. Impérativement chargé de distraire Mike, avec son équipe, il avait eu l'idée de le faire « jouer à la balle ». Or, en bon petit Américain entraîné au base-ball, Mike avait une technique du jet aussi particulière qu'efficace. Il prenait la balle à deux mains, levait un genou, pivotait sur son torse et projetait la balle à une distance et avec une précision qui avaient laissé ses amuseurs perplexes. De sorte qu'il s'était transformé en professeur et que l'on n'aurait su dire qui amusait qui.

A voir son fils prendre le commandement de son équipe de gorilles et les faire courir à travers le parc, Castor eut quelques minutes de plaisir.

L'arrivée de deux motards apportant, de la part de Pollux, deux plis urgents, l'un pour lui, l'autre pour Claire, l'arracha à sa contemplation.

Le pli destiné à Claire était accompagné d'un mot personnel de Pollux indiquant qu'il se trouvait dans la pénible obligation de prendre connaissance avant elle de tous les messages téléphoniques, de tout le courrier parvenant rue de Grenelle, qu'il lui faisait porter quelques lettres dont l'une, parvenue le matin même, était de la plus évidente importance, et qu'il viendrait en parler avec elle à la fin de la matinée.

Claire était descendue dans le parc pour faire sécher ses cheveux au soleil. Elle sortit d'une enveloppe deux feuillets d'une écriture inconnue, comme leur signature, et lut ceci :

« Madame, un soir de mars quelqu'un vous a bousculée pour vous arracher votre sac. C'était moi. Ce soir-là, une jeune fille que j'aimais avait faim, et puis voilà. (Je ne l'aime plus.)

« Dans ce sac se trouvait un portefeuille et dans ce portefeuille une lettre expédiée de Tokyo dont l'auteur est méprisable. Il a été un peu taquiné. C'était moi.

« Un jour de juillet, quelqu'un est venu vous interroger, prétextant un songage sur l'éducation des enfants. C'était moi. J'ai bien aimé vos réponses, j'ai bien aimé votre visage, j'ai bien aimé votre regard. Vous aviez l'air triste, fatiguée, désemparée, et vous m'avez tout de même reçu.

« Un jour d'août, quelqu'un est venu vous rapporter la lettre de Tokyo. C'était moi. Je ne voulais, en échange, qu'une promesse : l'impunité à propos du sac volé. Il se trouve que j'ai une mère et qu'elle n'a pas mérité de me voir en prison. Mais vous aviez convoqué votre ami flic et je me suis enfui.

« Maintenant, je suis hors de France et j'ai envie de rentrer. La lettre contre ma liberté, vous acceptez ? Si vous me dites oui, j'aurai confiance en vous. Si vous me dites non, à Dieu vat !

« Je vous téléphonerai mercredi soir à six heures pour connaître votre réponse. Si vous n'êtes pas là, je recommencerai à la même heure les jours suivants. »

En post-scriptum, Pierre avait ajouté :

« Je vous rendrai vos cinq mille francs un jour ou l'autre. Plutôt l'autre, mais je vous les rendrai. »

« Tu es au courant, naturellement, dit Claire à Castor.

— Naturellement. C'est ce que je pensais. Un petit voyou anarchiste qui se mêle de faire de la morale.

— Plutôt un gosse qui a fait une bêtise, dit Claire. Je me souviens de lui maintenant... Un gosse qu'on punissait en l'enfermant dans un placard.

— Moi aussi on m'enfermait dans un placard, dit Castor. Et comme tu vois, je ne suis devenu ni voleur ni maître chanteur.

— Alors, tu n'acceptes pas ce qu'il propose ?

— Si j'accepte, bien sûr, j'accepte ! dit Castor.

— Tu me donnes ta parole qu'ensuite il n'arrivera rien à ce garçon ? dit Claire.

— C'est l'affaire du ministre de l'Intérieur, dit Castor. Je suis le chef des Armées, pas celui de la Police. »

Il sortit dans le parc pour observer Mike. Maintenant, c'étaient ses partenaires qui lui apprenaient à taper du pied dans un ballon.

« Ainsi, dit Castor, si tout se passe bien, je ne le reverrai plus.

— Tu le reverras quand il sera grand, s'il le désire. Et ce jour-là, dit Claire en riant, je te souhaite bien du plaisir !

169

– Tu es cruelle, dit Castor. Autrefois, tu n'étais jamais cruelle. »

La voiture de Pollux roulait sur le gravier, ce qui retint la réponse de Claire sur le bout de sa langue.

Il fut convenu que Claire rentrerait rue de Grenelle pour prendre la communication du jeune homme, qu'elle lui donnerait rendez-vous chez elle, qu'elle pouvait s'engager à lui garantir l'impunité, Pollux respecterait cette promesse.

Il souhaitait seulement pouvoir placer deux hommes dans la cuisine, à portée de voix, pendant l'entrevue : il était exclu que Claire courût le moindre risque. Elle refusa : il n'y aurait aucun risque.

« Permettez-moi au moins d'être là », dit Pollux. Elle accepta.

Il rentrait à Paris et proposa de ramener Claire et Mike.

« Qu'est-ce que tu vas faire de Mike à Paris tout l'après-midi par cette chaleur ? dit Castor. Laisse-le s'amuser... Un chauffeur le ramènera ce soir. »

Claire refusa.

« Alors reste avec lui », dit Castor.

Claire hésita. Lui ferait-elle ce cadeau ? Quelques heures de plus avec Mike ? Elle finit par dire :

« Si tu veux. »

A la fin du déjeuner, elle apprit à Mike qu'ils allaient être libérés.

« Tu as eu la rançon ? demanda Mike à Castor.

– Pas encore, dit Castor. Mais je vais l'avoir.

– C'est mon père qui la paie ? dit Mike.

– Oui, dit Claire. C'est ton père.

– Comment s'appelle ton père ? dit Castor.

– C'est un secret », dit Mike.

Et il se leva en annonçant qu'il allait voir si Beau-Chat avait bien déjeuné.

« Elle est lourde la rançon, dit Castor. Je n'aurais jamais cru...

– La semaine prochaine, tu auras oublié », dit Claire.

Il demanda où elle serait la semaine prochaine, s'il la reverrait en septembre, si elle était vraiment déterminée à quitter la France. Il dit aussi qu'il y avait d'excellentes universités aux Etats-Unis, qu'il fallait choisir pour Mike la meilleure, que, bien entendu, si Claire le désirait, il en assumerait les frais.

« Je te le demanderai peut-être, dit Claire. C'est très cher, en effet... Pour le moment, je me débrouille. »

Il voulut savoir comment étaient les Hoffmann, pour qui ils votaient, comment Claire avait connu Julie, comment était la maison du Connecticut...

Castor faisait une partie d'échecs avec Mike lorsqu'il fut l'heure de partir.

Claire les regardait, absorbés par le jeu.

Une vague d'émotion l'envahit. Elle eut soudain envie de dire à Castor qu'elle lui devait le pire mais aussi le meilleur, les deux ou trois moments parfaits de sa vie comme il n'y en aurait peut-être jamais plus d'autres, qu'elle...

Mais elle s'épargna ce ridicule. De toute évidence, elle n'était plus, pour Castor, que la mère de Mike.

Castor, debout sur le perron, assista à leur départ. Quand la voiture eut disparu, il regagna le salon vide, resta un moment immobile, puis balaya de sa canne les pièces du jeu d'échecs.

L'hélicoptère présidentiel le ramena dans l'heure à Paris.

*

Le soir, vers huit heures, lorsque Herbert frappa à la porte de Pierre, la femme de chambre lui dit que le jeune homme était sorti. Depuis deux jours, le cher garçon était charmant, parlait de louer un chalet en montagne pour y terminer tranquillement son travail, après quoi il aurait plaisir à passer quelques jours en Angleterre, bien que son anglais fût détestable, si Herbert l'accompagnait. Il s'était excusé de sa nervosité, et quand Herbert était revenu, muni d'un Hölderlin acheté à prix d'or à un amateur indiqué par un libraire qui refusa de se séparer de son livre jusqu'à ce que la somme proposée soit hors de proportion avec l'objet convoité, Pierre avait dit au gros homme :

« Décidément, vous êtes unique... »

Ensuite, il avait passé la soirée à lui réciter les « hymnes » et ils avaient gravement débattu de la symbolique du fleuve dans l'œuvre du poète, tout en cherchant tatatatatatatata et déchire les lacs.

La journée suivante s'était déroulée sans accroc. Aussi Herbert attendit-il sans méfiance, dans sa chambre, le retour du cher garçon.

Vers neuf heures, il s'inquiéta.

Il obtint de la femme de chambre qu'elle lui ouvre la porte de Pierre. La petite valise, le manuscrit et les feuillets couverts de l'écriture de Pierre avaient disparu.

Herbert courut à l'aéroport, où il essaya en vain de savoir si le nom d'emprunt de Pierre figurait sur les listes de passagers ayant embarqué sur l'un ou l'autre des avions qui avaient quitté Genève dans l'après-midi. Renseignements non communicables.

Il regagna l'hôtel avec l'espoir fou de voir Pierre réapparaître, plissant ses yeux noirs pour lui dire en riant : « Alors ? On se fait attendre, vieille crapule ? Je la saute, moi. Où va-t-on dîner ce soir ? »

*

Après avoir téléphoné à Claire, à six heures, Pierre avait attrapé l'avion de sept heures. A huit heures trente, il sonnait rue de Grenelle.

Claire ouvrit. Pollux était avec Mike, achevant de dîner dans la cuisine. Cette fois, il avait renvoyé sa voiture.

« Entrez, dit Claire. N'ayez pas peur, vous ne risquez rien.

– Je sais, dit Pierre. J'ai confiance en vous. »

Il sortit la lettre de sa poche.

« Voilà, dit-il. Vous pouvez regarder, c'est bien elle.

– J'ai confiance en vous, dit Claire.

– Vous me pardonnez pour le sac ?

– C'est oublié, dit Claire. Oublié pour tout le monde. Mais ne recommencez pas. C'est bête. On finirait par vous mettre dans un placard.

– Votre fils est là ? demanda Pierre.

– Oui, dit Claire.

– Je peux le voir ?

– Non. Il faut partir maintenant.

– Bon, dit Pierre. Alors... au revoir.

– Au revoir. »

La porte refermée sur le garçon, Claire vérifia qu'il lui avait bien rendu la lettre disparue, puis rejoignit Pollux et Mike.

« Qui c'était ? dit Mike.

– Quelqu'un qui m'apportait une lettre, dit Claire.

– Une bonne lettre ? dit Pollux.

– Une bonne lettre, dit Claire.

– Eh bien, dit Pollux, nous nous en sommes tirés à bon compte. »

De nouveau, le timbre de la porte retentit. Claire hésita un instant.

« Vous me permettez d'aller ouvrir ? dit Pollux.

– Non, dit Claire. Si c'est lui, il va croire que... »

C'était lui.

« Je vous dérange, dit Pierre. Excusez-moi, je voudrais téléphoner, et dans le quartier tout est fermé. »

Claire l'accompagna jusqu'au téléphone et dit :

« Allez-y. »

Pierre forma un numéro de dix chiffres et dit :

« Allô, M'man ? Non, tout va bien, ne t'inquiète pas. Je peux venir ? A demain. »

Il regarda Claire et dit :

« Encore un ? Je peux ?

– Deux si vous voulez », dit Claire.

Il forma un nouveau numéro de douze chiffres, demanda M. Herbert, attendit un instant et dit :

« Allô vieille crapule... Je suis à Paris. Le mec ne m'intéresse plus et je ne l'intéresse plus. Je vous appelle parce que je ne veux pas qu'on vous retrouve noyé dans le lac de Genève... A propos, j'ai retrouvé la phrase exacte : « Sus-« pends le désir de mort des peuples et déchire les lacs. » Adieu ! Et comme on dit dans les romances, ne cherchez pas à me revoir. »

Il raccrocha, saisit Claire par les épaules, l'embrassa sur les deux joues et partit en criant : « Merci, et au revoir, pour de bon cette fois ! »

Il dégringola les six étages, heureux comme il ne l'avait pas été depuis longtemps. Il ne lui restait plus qu'à trouver où coucher, puisque Herbert avait conservé la clef de sa chambre. Il fouilla dans ses poches et y trouva tout juste de quoi prendre le train pour Nice plus quelque monnaie. Mais même la salle d'attente de la gare de Lyon lui paraîtrait confortable ce soir...

Il faisait beau et tiède. Il décida de marcher un peu jusqu'à ce qu'il rencontre une station de métro.

Pollux allait franchir la porte de l'immeuble, quand un homme surgit et lui dit :

« Par là, Monsieur le Ministre... »

Il remonta la rue jusqu'aux Invalides. La nuit n'était pas encore tombée. Quand il aperçut, au milieu de l'esplanade, un petit attroupement, il pressa le pas. Un homme se détacha du groupe en voyant le Ministre approcher.

« Qu'est-ce qui se passe ? dit Pollux.

– Un accident, Monsieur le Ministre. Il a essayé de s'enfuir et une voiture l'a fauché. »

Debout devant le corps de Pierre gisant sur la chaussée, le conducteur de la voiture s'agitait, répétant :

« Enfin, vous l'avez vu ! Il s'est littéralement jeté sous mes roues ! Monsieur est témoin... Et Monsieur aussi ! Je veux qu'on prenne leurs noms !

« – Faites dégager, dit Pollux, et barrez l'avenue là-bas... »

Quand le conducteur eut déguerpi, outré par le silence des « témoins », Pollux s'approcha.

Il poussa du pied la petite valise que Pierre avait lâchée en tombant.

« C'est à lui ? Vous avez regardé ce qu'il y a dedans ? »

Un homme ramassa la valise, l'ouvrit.

« Des papiers, Monsieur le Ministre.

– Vous me l'apporterez, dit Pollux.

– Et lui, Monsieur le Ministre, qu'est-ce qu'on en fait ?

– Je crains qu'il n'y ait plus rien à en faire, dit Pollux. Emmenez-le à l'hôpital. S'il s'en tire, on verra... Je prends votre voiture. »

Pourquoi s'était-il enfui, cet imbécile ? On ne pouvait tout de même pas le laisser se promener dans la nature sans en savoir un peu plus long sur quelqu'un qui avait menacé le chef de l'Etat.

En arrivant au ministère, il trouva deux messages de Castor le pressant de rappeler.

« Alors, dit Castor. Qui est-ce ?

– Je ne sais pas encore », dit Pollux.

Il raconta brièvement ce qui s'était passé.

« La lettre ? dit Castor.

– Claire l'a brûlée, dit Pollux.

– Bien, dit Castor. Très bien. »

*

L'examen du contenu de la petite valise révéla un étrange bagage pour un voleur de sacs. Les épreuves d'une étude sur le romantisme allemand, des pages manuscrites couvertes de ratures, un Hölderlin... On avait trouvé sur Pierre sa carte d'identité, et une vérification rapide, opérée chez l'éditeur, avait confirmé que le jeune homme était bien chargé d'une traduction, et que l'on s'inquiétait un peu d'être sans nouvelles de lui. Oui, bien sûr, on avait son adresse à Paris mais il ne s'y trouvait pas. La jeune fille qui répondit à l'inspecteur chargé de cette vérification avait de bonnes raisons de le savoir.

Une perquisition dans la chambre de Pierre ne donna aucun résultat, pas plus que la recherche de sa trace dans les fichiers de la police, sinon parmi les suspects interpellés lors de l'incident radiophonique. Ce n'était pas une révélation.

Pollux remettait le contenu de la petite valise en place lorsqu'une carte jaune glissa des feuillets qu'il tenait en main : la carte attribuant à Pierre une autre identité et portant sa photo.

Tiens ! Et que donnaient les dernières écoutes de la ligne téléphonique de Claire ?

La mère... Bon. Même les voyous ont une mère. On verrait à la prévenir avec tact de « l'accident » survenu à son fils. M. Herbert à Genève... Vérification faite, M. Herbert avait regagné Paris. Non, le concierge de l'hôtel ne connaissait pas son adresse en France, mais il s'agissait de M. Herbert, le journaliste.

Herbert ! Tiens, tiens !

Pollux demanda son dossier. Curieux dossier qui l'incita à en demander un autre, plus secret. Un homme très protégé, M. Herbert.

*

Enfermé dans son bureau désert, Herbert réfléchissait. La veille, à Genève, il avait reçu l'appel de Pierre, comme un poignard qu'il gardait fiché dans la poitrine.

Qu'est-ce que le cher garçon avait donc inventé pour pouvoir dire allègrement : le mec ne m'intéresse plus ET JE NE L'INTÉRESSE PLUS.

Il avait dû restituer la lettre, et maintenant il se croyait à l'abri, le sot ! Un jour, on apprendrait qu'il était en prison. A moins qu'il n'y soit déjà...

A peine rentré à Paris, Herbert avait sollicité l'un de ses

informateurs habituels pour savoir si Pierre était entre les mains de la police. Non. Il en conclut qu'on l'avait laissé courir et qu'on le surveillait.

D'ici que Pierre arrive en disant : « J'ai fait une connerie... » avec deux inspecteurs dans son sillage...

Un instant, Herbert envisagea de partir. Mais ce bureau était le dernier lieu où il pouvait espérer voir un jour reparaître le cher garçon, recevoir un appel. Et puis, il avait des munitions, le vieil Herbert...

Lui qui lisait les journaux de la première à la dernière ligne, petites annonces comprises – on découvre bien des choses dans les petites annonces quand on sait les déchiffrer – était rentré si bouleversé qu'il avait négligé sa discipline quotidienne. Il descendit recueillir sa provende et remonta pour la dépouiller, assis derrière son téléphone.

Lorsque la sonnerie tinta, il bondit. Mais ce n'était que le service de presse du ministère de l'Intérieur. Le Ministre serait heureux d'avoir M. Herbert à déjeuner le lendemain. Oui, le lendemain, si M. Herbert était libre, naturellement... Mais en cette période de vacances, tout le monde est moins occupé, n'est-ce pas ?

Herbert accepta et appela successivement deux de ses collègues qui participaient généralement, avec lui, aux agapes ministérielles. Ils étaient absents de Paris. Mais un troisième dit qu'il était invité. Rien que de banal donc...

Il continua la lecture de ses journaux, agitant les pièces éparses d'un puzzle qu'il ne parvenait pas à reconstituer lorsqu'il tomba sur trois lignes : « Poursuivi par la police, un inconnu se jette sous une voiture rue de Grenelle. Il a été hospitalisé dans un état grave. »

Il appela un autre informateur. Pouvait-on lui donner le nom de ce jeune homme poursuivi par la police et renversé par une voiture, hier soir, rue de Grenelle ? Il attendit un long moment, disait qu'il préférait ne pas raccrocher, qu'il restait en ligne...

« Il n'était pas poursuivi par la police, mon vieux, dit la voix de son informateur. Je ne sais pas où ils ont été chercher ça. Il s'est jeté sous la voiture... Il vous intéresse, ce type-là ?

– Pas particulièrement, dit Herbert. Mais il se trouve que je passais par là et que j'ai vu l'accident...

– Alors, vous savez qu'il n'était nullement poursuivi, dit l'informateur. N'est-ce pas ?

– Bien sûr, dit Herbert. Vous pouvez me donner son nom ?

– Si je ne le retrouve pas dans votre canard, oui, dit l'informateur.

– Cela va de soi, dit Herbert. Vous me connaissez. »

Et il entendit ce qu'il redoutait d'entendre.

Il fit le tour des hôpitaux de Paris. Mais dans ce milieu-là, il n'avait pas de relations et se fit rabrouer.

Le lendemain, il fut exact au rendez-vous du Ministre. Le déjeuner était excellent, comme à l'accoutumée, et il lui fit honneur. La conversation fut exclusivement politique, comme à l'accoutumée, et il y fut subtil.

L'élection présidentielle devait avoir lieu treize mois plus tard. Chacun savait que la décision du président en exercice ne serait pas officiellement connue avant octobre, mais les pronostics divergeaient.

« Il se présentera et il sera battu, dit Herbert.

– Il ne se présentera pas parce qu'il sait qu'il sera battu, dit un autre.

– S'il se présente, il sera élu, dit le Ministre, mais je peux vous affirmer qu'il n'a pas encore pris sa décision. Et vous savez que je ne fais jamais d'intoxication avec la presse. »

Au moment où ses invités se levèrent pour partir, Pollux dit à Herbert :

« Je peux vous retenir un instant ? »

Herbert se rassit.

Pollux sortit de sa poche la carte d'identité de Pierre et demanda :

« Vous connaissez ce garçon ?

– Oui, dit Herbert. Je l'ai même fait travailler.

– Travailler... où ? dit Pollux.

– Mais... pour *La Lettre H*, Monsieur le Ministre.

– Bien sûr, dit Pollux. Et quel genre d'homme est-ce ?

– Charmant, dit Herbert. Léger, un peu fou, mais bon traducteur. Il a une licence d'allemand, je crois.

– Je vois, dit Pollux. Homosexuel ?

– Pas à ma connaissance, dit Herbert.

– Et vous vous y connaissez, dit Pollux.

– Et je m'y connais, dit Herbert.

– Eh bien, vous ne le ferez plus travailler, Monsieur Herbert, dit Pollux. Il est mort.

– Mort ! dit Herbert. Mort, ce n'est pas possible...

– Un accident de la circulation, dit Pollux, comme il en arrive tant, surtout entre chien et loup...

– Mort, répéta Herbert. Le pauvre enfant...

– En le ramassant, on a trouvé aussi cela dans sa poche », dit Pollux.

Et il tendit à Herbert la fausse carte d'identité.

« Vous ne soupçonnez pas qui aurait pu la fournir à votre charmant collaborateur ?

– Je n'en ai aucune idée, Monsieur le Ministre, dit Herbert.

– Aucune, vraiment ?

– Aucune, répéta Herbert.

– Bon, dit Pollux. Comme vous voudrez. La police désirera probablement vous entendre... Enquête de routine... Je voulais vous en prévenir moi-même... »

Il se leva.

« Je ne vous raccompagne pas. Vous connaissez le chemin. »

Cette fois, une main venait de retirer brusquement le poignard enfoncé dans la poitrine de Herbert, et il crut qu'il allait mourir, lui aussi, affalé dans le taxi qui l'emportait chez lui. Ô douleur, douleur obscène qui le plie en deux sur la banquette et le chauffeur demande :

« Ça ne va pas ?

– Ce n'est rien, la chaleur... Je vais baisser la vitre... »

Misérable enfant... Misérable petit enfant naïf qui s'est jeté dans la gueule de ces fauves et qui ne sortira plus jamais, maintenant, du placard oblong où on l'a enfermé. Il faut laisser les fauves jouer entre eux. Misérable petit enfant qu'il ne verra jamais plus rire en plissant ses yeux noirs. Qu'il n'entendra jamais plus dire : « Alors, vieille crapule, on se fait attendre ? » Qui aura été le dernier battement de son cœur, cette pendule affolée.

Crapule... Dans les situations d'extrême nécessité, mais à regret, toujours à regret. Et tant d'autres choses aussi. Docteur en philosophie et laveur de voitures, brocanteur et pianiste dans un cabaret, agent littéraire et agent de renseignements... Il a même été beau, Herbert. Beau, pensez donc, lui qui depuis si longtemps fuit les miroirs et ferme les yeux quand le coiffeur le rase.

Il a même... Mais il est trop tard pour raconter ce qu'a été la vie d'Herbert. Il fallait s'y prendre plus tôt. Maintenant, le temps presse. Il a le ministre de l'Intérieur sur les talons.

Il a aussi, dans son coffre, de quoi le clouer sur place. La photocopie de la lettre de Tokyo.

Il aurait pu régler l'affaire sur-le-champ. Ma sécurité contre mon silence, Monsieur le Ministre, convenez que c'est pour rien... L'ennui est que sa sécurité, pour l'heure, il s'en fout.

Il est mortellement blessé, il n'a plus qu'un désir : tuer. Les tuer. Alors, il va le faire. Proprement. Avec des mots.

En voyant Herbert arriver à l'imprimerie, le chef d'atelier s'étonna. On ne travaillait pas pour *La Lettre H* cette semaine-là.

« Vous ne pouvez pas me faire un quatre pages ? dit Herbert. Avec un cliché.

– Aujourd'hui... Ça va être juste, dit le chef d'atelier. Je peux vous caser demain, à la prise.

– Non, dit Herbert. Aujourd'hui. »

Il était un bon client, régulier.

« Je vais voir ce qu'on peut faire... Vous me donnez la copie quand ?

– Tout de suite », dit Herbert.

Il sortit de sa serviette le document à clicher. Il l'avait coté, au crayon rouge, de façon que la reproduction du premier feuillet de la lettre de Tokyo occupe les deux tiers d'une page.

Le texte à composer était également préparé, titré et intertitré, avec les indications nécessaires quant au corps des caractères à utiliser. Du 12 pour le chapeau de présentation, annonçant un document éclairant un aspect inconnu de la personnalité du président de la République. Les termes tels que « sensationnel », « révélations », « exclusif » étaient bannis de *La Lettre H*, ce qui n'avait pas peu contribué à sa réputation. Dans le style sobre et impersonnel de la publication, – pas de polémique, pas d'attaque, pas d'insinuation – l'article d'Herbert précédant le texte intégral de la lettre de Tokyo était dévastateur.

En conclusion, Herbert indiquait que selon les informations recueillies auprès du ministre de l'Intérieur, le président de la République ne solliciterait pas un nouveau mandat.

Assis dans le petit bureau encombré du chef d'atelier, Herbert attendit que cliché et composition soient achevés et mis en place selon la maquette qu'il avait tracée.

Il aimait l'odeur, le bruit, le désordre particulier des imprimeries vieillottes, comme celle-ci. Bientôt, il n'en resterait plus. Où donc avait-il lu l'interminable description de l'agonie d'une imprimerie ? Dans Balzac, mais où dans Balzac ou peut-être était-ce dans Zola.

Le travail fut exécuté par deux ouvriers avec soin, diligence et indifférence à ce qu'ils avaient en main comme le veut leur profession.

Le tirage de *La Lettre H* commençait lorsque Herbert quitta l'imprimerie, emportant les premiers exemplaires. Il avait, naturellement, récupéré son document auprès du clicheur.

Chez lui, au fond de l'appartement, se trouvaient encore quelques bûches. Il les transporta devant la cheminée de sa chambre, froissa des journaux, alluma un feu.

Puis il commença à sélectionner des dossiers et à en jeter le contenu dans la cheminée. Les photos brûlaient mal, certains rapports aussi qu'il fallait déchirer page par page. La chaleur devint insupportable, il retira sa veste.

Décidément, c'était dans Balzac l'imprimerie. Tout à fait au début de... de quoi... ?

Quand le timbre d'une sonnerie retentit quatre fois, à une cadence particulière, il sortit un Smith and Wesson du tiroir de son bureau, l'arma et vérifia par l'œilleton de la porte l'identité du visiteur.

« Où étiez-vous donc ? dit l'homme auquel il ouvrit. Ils arrivent. Perquisition. »

Et il disparut dans l'escalier.

Allons, le vieil Herbert avait encore des amis. Il avait aussi, dans son coffre, un passeport de secours. Mais où était la clef du coffre ? Dans sa veste. Mais où était sa veste ? Sous une pile de dossiers écroulée. En la tirant par la manche, il en fit tomber la clef qui résonna sur le sol. Il était accroupi, en sueur, en train de chercher, lorsque de nouveau on sonna. Deux coups réguliers, cette fois.

Déjà.

Soit. Peut-être était-ce mieux ainsi.

L'imprimerie, c'est le début des *Illusions perdues*, bien sûr...

Encore la sonnette.

Quand Herbert tira à travers la porte, il y eut un cri. Il retourna le canon de l'arme pour le poser sur son cœur. Il n'avait plus rien à en faire de ce cœur, plus rien vraiment.

Quand les pompiers arrivèrent, ils trouvèrent sur le palier la concierge de l'immeuble gémissant et perdant son sang. Elle était venue prévenir Herbert qu'il était en train de provoquer un feu de cheminée.

Les lances à eau noyèrent la quasi-totalité des papiers, ceux qui n'étaient pas consumés. Plus tard, les scellés furent mis sur la porte.

Au petit matin, les mille exemplaires de *La Lettre H* furent chargés sur une camionnette pour être livrés à l'entreprise de traitement des abonnements, opération de routine.

Etrangement, quand la camionnette arriva à destination, cette partie de sa cargaison avait disparu. Ce n'était pas le conducteur habituel du véhicule qui se trouvait au volant. En période de vacances, on ne sait jamais à qui on a affaire avec ces intérimaires.

*

Brunie, lisse et poncée par quelques jours de mer, de soleil, détendue par le régime Hoffmann – faites votre lit, les enfants, mais si vous ne le faites pas, personne ne le fera et on n'en mourra pas –, couvée par Julie comme une convalescente, Claire commençait à retrouver le simple plaisir d'être lorsque, revenant d'une expédition en ville, le docteur Hoffmann lui rapporta des journaux français vieux de quelques jours.

Allongée sur le sable, elle lut les titres, parcourut distraitement un article par-ci, un article par-là, et les glissa dans son sac de plage, quand Mike vint tirer sur la natte de sa mère pour dire qu'il avait faim.

Après le déjeuner, sommée par Julie de laisser les enfants faire la vaisselle, elle s'assit à l'ombre sucrée d'un figuier, Beau-Chat étendu à ses pieds, sur la pierre tiède.

« Qu'est-ce qui se passe dans le monde ? dit Julie. Nous vivons comme des sauvages ici. »

Claire tira un journal de son sac pour renseigner Julie sur la mode d'hiver, la levée de l'embargo américain sur les exportations de blé, la mise en chantier d'un sous-marin atomique français, l'augmentation du prix de l'essence et un ou deux coups d'Etat, lorsque trois lignes l'arrêtèrent. « Poursuivi par la police, un inconnu se jette sous une voiture rue de Grenelle. Il a été hospitalisé dans un état grave. »

La police... Rue de Grenelle... Elle regarda la date du journal.

« Eh bien, dit Julie, qu'est-ce qui se passe ?

– Il faut que je téléphone », dit Claire.

Elle avait retrouvé son visage de Paris, crispé sous le hâle qui ne la rajeunissait plus mais, au contraire, la vieillissait soudain. Montrant les trois lignes à Julie, elle dit :

« S'il a fait ça, c'est un assassin. Il ne reverra jamais Mike. Jamais. »

Mais la maison n'avait pas le téléphone, ce n'était pas le moindre de ses charmes.

Lorsque Claire réussit à joindre l'Elysée, la secrétaire de Castor lui dit que le Président passait le week-end du 15 Août dans sa maison de famille, qu'il était exclu de communiquer son numéro. Elle pouvait seulement promettre de transmettre un message. Claire raccrocha, exaspérée. Sa maison de famille... Belle famille.

Au ministère de l'Intérieur, elle apprit que le Ministre était sur la route de l'aéroport, qu'il partait pour Venise. Oui, on pouvait essayer de le joindre dans sa voiture et lui demander de la rappeler de l'aéroport. Elle donna le numéro de l'hôtel, proche de la maison, d'où elle téléphonait et attendit, sous l'œil d'un concierge égrillard, qui s'adressait à elle en regardant ses cuisses, comme s'il espérait soulever le tee-shirt de Claire de son regard.

Puis ce fut un client français de l'hôtel qui, l'entendant parler, voulut entamer une conversation sur les horreurs de la cuisine grecque.

La voix de Pollux lui parvint enfin, s'inquiétant de son appel. Quoi ? Avait-elle perdu la tête ? Mais non, ce n'était pas le fameux jeune homme ! Comment avait-elle pu croire... Mike allait bien ? Pas de mauvais souvenirs ? Bravo. Je vous embrasse tous les deux, au revoir ma petite Claire, mais non vous ne me dérangez jamais, vous savez bien... Reposez-vous et à bientôt. N'oubliez pas votre vieux Pollux.

Claire raccrocha. Comment avait-elle pu croire ?

Elle récompensa généreusement le concierge égrillard et rentra d'un pas léger de jeune fille, sur ses longues jambes nues.

En se pressant un peu, elle trouverait encore Mike à la plage.

Le bain de six heures, en août, c'est le meilleur.

DU MÊME AUTEUR

Chez d'autres éditeurs :

LE TOUT-PARIS, Gallimard.
NOUVEAUX PORTRAITS, Gallimard.
LA NOUVELLE VAGUE, PORTRAITS DE LA JEUNESSE, Gallimard.
SI JE MENS... Stock.
UNE POIGNÉE D'EAU, Laffont.
LA COMÉDIE DU POUVOIR, Fayard.
CE QUE JE CROIS, Grasset.
UNE FEMME HONORABLE, Fayard.

Nouvelles éditions des «classiques»

La critique évolue, les connaissances s'accroissent. Le Livre de Poche Classique renouvelle, sous des couvertures prestigieuses, la présentation et l'étude des grands auteurs français et étrangers. Les préfaces sont rédigées par les plus grands écrivains ; l'appareil critique, les notes tiennent compte des plus récents travaux des spécialistes.

Texte intégral

Extrait du catalogue*

ALAIN-FOURNIER
Le Grand Meaulnes 1000
Préface et commentaires de Daniel Leuwers.

BALZAC
Le Père Goriot   757
Préface de F. van Rossum-Guyon et Michel Butor. Commentaires et notes de Nicole Mozet.

Eugénie Grandet   1414
Préface et commentaires de Maurice Bardèche. Notes de Jean-Jacques Robrieux.

La Peau de chagrin 1701
Préface, commentaires et notes de Pierre Barbéris.

BAUDELAIRE
Les Fleurs du mal   677
Préface de Marie-Jeanne Durry. Édition commentée et annotée par Yves Florenne.

DAUDET
Lettres
de mon moulin   848
Préface de Nicole Ciravégna.

Contes du lundi   1058
Préface de Louis Nucéra.

DIDEROT
Jacques le fataliste   403
Préface, commentaires et notes de Jacques et A.-M. Chouillet.

DOSTOIEVSKI
Crime et châtiment
T I 1289 - T II 1291
Préface de Nicolas Berdiaeff.
Commentaires de Georges Philip-
penko.

FLAUBERT
Madame Bovary 713
Préface d'Henry de
Montherlant.
Présentation, commentaires
et notes de Béatrice Didier.

LA FAYETTE
(Madame de)
La Princesse
de Clèves 374
Préface de Michel Butor.
Commentaires de Béatrice
Didier.

MAUPASSANT
Une vie 478
Préface de Henri Mitterand.
Commentaires et notes
d'Alain Buisine.

MÉRIMÉE
Colomba et
autres nouvelles 1217
Édition établie par Jean Mistler.

Carmen et
autres nouvelles 1480
Édition établie par Jean Mistler.

SAND
La Mare au diable 3551
Édition préfacée, commentée et
annotée par Pierre de Boisdeffre.

STENDHAL
Le Rouge et le Noir 357
Édition préfacée, commentée
et annotée par Victor Del Litto.

VOLTAIRE
Candide et
autres contes 657
Édition présentée, commentée
et annotée par J. Van den
Heuvel.

ZOLA
L'Assommoir 97
Préface de François Cavanna.
Commentaires et notes
d'Auguste Dezalay.

Germinal 145
Préface de Jacques Duquesne.
Commentaires et notes
d'Auguste Dezalay.

XXX
Tristan et Iseult 1306
Renouvelé en français moderne,
commenté et annoté par René
Louis.

———————

* *Disponible chez votre libraire.*

Le sigle ⬇ *, placé au dos du*
volume, indique une nouvelle
présentation.

« Composition réalisée en ordinateur par IOTA »

IMPRIMÉ EN FRANCE PAR BRODARD ET TAUPIN
58, rue Jean Bleuzen - Vanves - Usine de La Flèche.
LIBRAIRIE GÉNÉRALE FRANÇAISE - 14, rue de l'Ancienne-Comédie - Paris.
ISBN : 2 - 253 - 03465 - 7